KB009056

현대 한국어로 철학하기

현대 한국어로 철학하기

신우승 김은정 이승택

철학의 개념과 번역어를 살피다

2
메멘토문고 나의독법

철학 도서와 논문을 읽기 시작한 지 20년 정도 되었습니다. 학부에서 철학을 전공하지 않았기에 그 시절에는 주로 학원 형태의 기관에서 공부했으며, 학부 졸업 이후에는 두 곳의 대학원에서 각기 미학과 철학을 전공했습니다. 자발적으로 진행되는 여러 세미나나 강독 모임에도 참여했습니다. 이와 같은 경험을 통해 한국에서 철학을 공부하는 일에 큰 문제가 있다고 생각하게 되었습니다.

첫째, 텍스트 읽기에 지나치게 초점을 맞춘 나머지, 텍스트를 바탕으로 하여 스스로 생각하는 방법을 잊게 됩니다. 물론 고전 철학을 공부하는 데에 강독 연습은 필수적입니다. 이마누엘 칸트 같은 철학자의 원전을 읽어 나가면서 그들의 문장에 익숙해지는 훈련은 대단히 중요합니다. 그러한 훈련을 거치지 않으면 연구 대상에 접근하는 일 자체가 불가능할 테니까요. 하지만 칸트의 생각을 칸트의 문장으로 이해하는 데서 공부가 끝나서는 안 될 것입니다. 이를 기반으로 하여 칸트의 문제의식을 파악하고, 이 문제의식을 더욱 세련되게 다듬고, 가능하다면 이와 관련한 방법과 답도 따져보는 연습을 해야 합니다. 그렇게 하지 않는다면 1920년대의 칸트 강독과 2020년대의 칸트 강독은 질적으로 조금도 다를 바 없을 것입니다.

둘째, 인문학은 있는데 철학은 없습니다. 인문학에 속하는 학문은 여럿인데요, 보통 문학, 역사학, 철학을 대표적인 영역으로 간주합니다. 누군가 '인문학을 공부한다'고 할 때 이는 적확한 표현이 되지 못합니다. 지나치게 포괄적인 표현이기 때문입니다. 인문학 공부라는 것은 없습니다. 이를테면 철학 공부가, 그중에서도 언어철학 공부가, 그중에서도 화용론 공부가 있습니다. 공부는 가능한 한 구체적인 영역에서 시작하여 벽돌을 쌓아 올리는 방식으로 이루어져야 합니다. 정체를 알 수 없는 인문학 공부를 오랫동안 해보았자 어렵지 않은 철학 논문 한 편 제대로 읽지 못합니다.

셋째, 시민 교육의 수준이 지나치게 낮습니다. 유명한 현직 철학 교수나 명예 교수가 커다란 강당에서 행하는 강연을 몇 차례 들어봤습니다. 그러한 강연은 대체로 둘 중 하나였습니다. 듣는 이를 배려하지 않고 학계에서 쓰는 표현을 그대로 가져오는 바람에 지나치게 어렵거나, 반대로 예컨대 플라톤의 동굴 비유를 이야기식으로 전달하고는 강연을 그대로 마치는 바람에 철학은 전혀 없거나, 둘 중 하나였습니다. 후자를 더 자주 보았습니다. 시민의 스펙트럼은 넓으며, 대학에서 철학을 전공하지 않았더라도 적합한 교육 체계를 거치면 어지간한 논문을 읽을 수 있는 사람이 많습니다. 대학과 대학원의 철학과에서 다루지 않는 것을 '철학'이라는 이름으로 시민에게 제공하는 것은 지적 무시입니다.

넷째, 교육이 서비스라는 점이 간과되고 있습니다. 우리는 하루 종일 서비스를 주고받으면서 삽니다. 때로는 서비스 제공자가, 때로는 서비스 수혜자가 되지요. 이때 서비스의 구체적인 내용을 협의해야 하며, 서비스 구매를 철회할 수 있어야 하고, 서비스와 관련한 인격상의 위계가 발생해서는 안 됩니다. 하지만 누군가가 다른 사람에게 철학을 배운다고 할 때 이와 같은 조건이 충족되는지 저는 잘 모르겠습니다. 특히 가르치는 이가 학위 수여나 출판 등에서 권한을 가지는 경우, 교육이 서비스로 성립하기는 매우 어렵고 이는 제대로 된 교육과 연구가 이루어질 가능성을 원천적으로 막습니다. 선생 내지 교사에 대한 무조건적인 존경과 추종도 이 문제의 또 다른 원인입니다.

다섯째, 배우는 사람이 익숙함과 이해를 구별하지 못합니다. '초월론적 관념론' 같은 표현을 여러 차례 들으면 정확히 이해하는 일은 제쳐두고 일단 익숙해집니다. 시간이 지나면 그렇게 익숙해진 표현을 적재적소에 쓸 수도 있을 것입니다. 그러면 이 표현을 이해한다고 말할 수 있을까요? 저는 그렇게 생각하지 않습니다. 중국어 단어를 넣으면 중국어 문장을 산출하는 '중국어 방'[1] 처럼, 아무것도 이해하지 못한 채로도 많은 것을 말할 수 있습니다. 표현에 익숙하다고 해서 그 표현을 이해한 것은 아닙니다. 배우는 사람 스스로 자신이 무엇을 이해하고 무엇을 모르는지를 늘 검토해야 합니다.

여섯째, 한국어 번역어에 문제가 있습니다. 헤겔의

1 튜링 테스트로는 기계의 인공지능 여부를 판정할 수 없음을 논증하고자 존 설John Searle이 고안한 사고 실험입니다. 어떤 방 안에 영어만 할 줄 아는 사람이 들어가서 중국어 문장으로 된 질문이 들어오면 미리 받아둔 대응표에 따라 중국어 문장으로 된 답변을 내놓습니다. 밖에서 보면 방 안에 중국어를 할 줄 아는 사람이 있는 것 같겠지만, 그는 영어로 된 대응표만을 이해할 뿐 중국어 자체는 전혀 이해하지 못한 상태입니다.

『정신현상학』 부제가 '의식의 경험의 학'입니다. '의식의 경험의 학'이라는 표현을 이해할 수 있나요? 저는 해당 한국어 구문 자체를 전혀 이해하지 못했습니다. '의식의 경험에 관한 학문'이라고 하면 그나마 나을 것입니다. '직관의 잡다'라는 표현을 이해할 수 있나요? 이 표현만으로는 '직관'과 '잡다'의 관계를 알 수 없습니다. 이렇듯 현재 사용하는 번역어들이 현대 한국어의 현실을 반영하지 않는다는 생각을 수도 없이 했습니다.

위에서 말씀드린 모든 문제를 함께 고민하여 풀 수 있다면 좋겠지만, 이 책에는 마지막 여섯 번째 문제인 번역에 대한 제안만 담겨 있습니다. 제안은 크게 네 부분으로 이루어져 있습니다. 각 장은 제가 특정한 철학 개념이나 문제를 설명하면서 시작합니다. 이 설명을 근거로 하여 어떤 번역어가 왜 문제인지 밝히고, 대체 번역어를 제안합니다. 이 제안을 공동 저자인 김은정, 이승택 님이 검토하여 동의 또는 반박하고, 반박에 대해서는 제가 최종 제안을 달아두었습니다. 여러분도 공동 저자라고 생각하면서 논의에 참여하시면 더욱 유익한 독서가 될 것입니다.

이해할 수 없는 것을 읽고 이해했다고 생각하는 것

은 자기기만입니다. 이 책에 담긴 제안을 통해 철학을 둘러싼 신화와 허세가 줄고, 정말로 이해하여 알게 되는 것이 조금이나마 많아지기를 바랍니다.

〔차례〕

1 논변이 타당하고 건전할 수 있을까?
: validity and soundness

개념 설명

비단 철학자가 아니더라도 우리 모두 무언가를 주장합니다. 저 사람은 좋은 사람이라고, 지금 눈이 내린다고, 이웃을 도우면서 살아야 한다고 주장하지요. 그런데 주장하는 것만으로는 그 주장에 힘이 실릴 수가 없습니다. 어떠한 진술이 주장으로 성립하려면 이를 뒷받침하는 근거가 있어야 할 테고, 그 근거와 주장이 단단히 연결되어야 합니다. 너무 당연한 이야기죠?

이 당연한 이야기를 예를 들어 설명해보겠습니다. 삼단논법[2]을 하나 가져왔습니다.

2 '삼단논법'은 말 그대로 '세 개의 판단을 활용하여 논증하는 방법'입니다. 먼저 등장하는 두 개의 판단이 전제로 기능하고, 이 전제를 근거로 삼아 도출되는 세 번째 판단이 결론에 해당합니다. 1장의 남은 영역에서 보게 될 사례 모두가 삼단논법입니다.

〔사례 1〕

모든 인간은 죽는다.

소크라테스는 인간이다.

그러므로 소크라테스는 죽는다.

세 번째 문장 '소크라테스는 죽는다'가 결론에 해당합니다. 결론의 근거에 해당하는 명제[3]를 전제premise라고 부릅니다. '모든 인간은 죽는다'와 '소크라테스는 인간이다'가 각기 대전제major premise와 소전제minor premise에 해당합니다. 하나 이상의 전제에서 도출되는 명제를 결론conclusion이라고 하고요. 이렇게 전제와 결론으로 이루어진 명제의 묶음을 논변argument이라고 하며, 전제에서 결론을 도출하는 활동을 추론inference이라고 합니다. (논변은 명제의 묶음이고, 추론은 결론을 끌어내는 활동이니 헷갈려서는 안 됩니다.)

위처럼 성공적인 논변은 두 가지 속성을 갖춥니다.

3 '명제'는 문장의 내용을 말합니다. 우리의 눈에 시각적으로, 귀에 청각적으로 나타난다는 점에서 문장은 구체적입니다. 그런데 '비가 내린다'와 'It rains'는 다른 문자로 이루어져 있다는 점에서 다른 문장이지만, 그 안에 담긴 내용은 같습니다. 이렇게 문장 안에 담긴 추상적인 내용을 명제라고 합니다.

하나는 '타당성validity'이고, 다른 하나는 '건전성soundness' 입니다. 1장의 주제인 두 개념을 하나씩 살펴보겠습니다.

전제와 결론 사이에는 밀접한 연관이 있어야 합니다. 예컨대 제가 '소크라테스는 철학자이다'라고 주장하면서 '소크라테스는 인간이다'를 근거로 든다면, 이것은 성공적인 논변이 될 수 없습니다. 인간 중에는 철학자가 아닌 사람도 많으니, 전제가 결론을 지지하지 못하기 때문입니다. 전제가 결론을 제대로 지지할 때, 말하자면 전제에서 결론이 필연적으로 도출될 때, 우리는 그 논변이 타당하다valid고 말합니다. 〔사례 1〕이 그러한 경우입니다. 여기서 '필연적으로 도출된다'는 말은 일단 전제를 받아들인 다음에는 결론을 받아들이지 않으려야 않을 수가 없다는 뜻입니다. '모든 인간은 죽는다'를 긍정하고, 또 '소크라테스는 인간이다'를 긍정한 합리적인 사람은 '소크라테스는 죽는다'를 받아들일 수밖에 없습니다. 더 정확히 말해, 타당한 논변은 전제가 참이면서 결론이 거짓일 수 없습니다. 모든 인간이 죽고 또 소크라테스가 인간인데 소크라테스가 죽지 않는 상황은 논리적으로 불가능하죠.

이렇게 타당한 논변이 있다면 타당하지 않은 논변, 즉 전제에서 결론이 필히 도출되지 않는 논변도 있겠습니다. 그러한 논변을 보통 부당하다invalid고 말합니다.

〔사례 2〕

모든 백조는 하얗다.

나의 신발은 하얗다.

그러므로 나의 신발은 백조이다.

얼핏 보아도 말이 안 되는 논변입니다. 어떤 점에서 말이 안 되는지요? 전제에서 결론이 필히 도출되지 않는다는 점에서, 표현을 바꾸어 말하자면 전제와 결론 사이의 관계가 탄탄하지 않다는 점에서 〔사례 2〕는 성공적인 논변이 아닙니다. 모든 백조가 하얗고 나의 신발이 하얗지만 나의 신발이 백조가 아닌 상황은 얼마든지 가능합니다. 전제와 결론의 관계가 이렇게 느슨하니 〔사례 2〕는 근거를 통해 주장을 견고하게 만들고자 하는 논변의 본래 목적을 수행하지 못합니다.

그런데 여기서 주목해야 할 지점이 하나 있습니다.

〔사례 3〕

오직 백조만이 하얗다.

나의 신발은 하얗다.

그러므로 나의 신발은 백조이다.

〔사례 3〕은 타당한 논변일까요? 부당한 논변일까요? 결론이 주장하듯 신발이 백조일 리는 없으니 부당한 논변인 것만 같습니다. 하지만 놀랍게도 〔사례 3〕은 타당한 논변입니다. 논변의 타당성은 오직 논변의 **형식**과 연관합니다. 전제에서 결론이 필연적으로 도출된다면 적어도 형식적 타당성의 측면에서는 성공적인 논변이라고 말할 수 있어요. 참이든 거짓이든 일단 오직 백조만이 하얗고 나의 신발이 하얗다고 한다면, 나의 신발은 백조가 아니려야 아닐 수 없습니다. 즉 전제가 참이면서 결론이 거짓인 상황은 불가능합니다. 하지만 그렇다고 해서 나의 신발이 백조인 것은 아니니, 무언가 요건을 하나 더 추가할 필요가 있습니다. 이제 성공적인 논변이 갖추는 두 번째 속성, '건전성soundness'을 살펴볼 차례입니다.

〔사례 3〕은 전제에서 결론이 필히 도출된다는 점에

서 형식적으로는 타당하지만, 결론이 참이 아니니 성공적인 논변이 못 됩니다. 왜 이런 일이 발생했을까요? 대전제인 '오직 백조만이 하얗다'가 거짓 명제라는 점이 그 이유입니다. 세상에는 하얀 것이 백조 말고도 많습니다.

〔사례 1〕과 〔사례 3〕은 공히 타당한 논변이지만, 〔사례 1〕은 〔사례 3〕과 달리 두 전제가 참인 까닭에 **내용**의 측면에서도 성공적이라고 할 수 있습니다. 다만 하나 염두에 두어야 할 것이 있는데, 논변의 건전성은 이미 타당성을 포함하는 개념이라는 점입니다. 애초에 타당하지 않은 논변이라면 전제가 참이더라도 건전성을 확보할 수 없습니다.

사례를 하나 더 들면서 타당성과 건전성에 대한 설명을 마치겠습니다.

〔사례 4〕

모든 10의 배수는 5의 배수이다.

30은 10의 배수이다.

그러므로 30은 5의 배수이다.

〔사례 4〕는 두 개의 전제에서 결론이 필히 도출됩니다. 그러므로 타당한 논변입니다. 이때 쓰인 두 전제가 참이기도 합니다. 따라서 건전한 논변입니다.

철학을 공부할 때는 어려운 개념에 맞닥뜨리거나 논지가 낯선 방식으로 전개되어 때로 정신줄을 놓치고 혼미해지는데, 그럴 때일수록 철학자의 주장을 논변 형태로 재구성하여 그 논변이 타당하고 건전한지를 검토해야 합니다. 비판적 정신은 다른 사람의 텍스트에 있는 흠을 마구잡이로 파헤칠 때가 아니라 그러한 검토 과정에서 자연스럽게 싹틉니다.

번역어에 대한 비판과 제안

종전의 철학 문헌에서는 전제에서 결론이 필연적으로 도출되는 논변의 속성을 '타당성validity'이라고 해왔습니다. 그런데 한국어에서 '타당하다'라는 단어는 그러한 방식으로 쓰이지 않습니다. '듣고 보니 네 제안에 타당한 지점이 있다' 같은 식으로 '일의 이치로 보아 옳다'라는 의미를 가지지요. 논변의 타당성은 전제와 결론의 참과 무관한, 논변의 형식적 속성이기 때문에 '옳다'는 의미가 담길 수 없습니다.

외국 사이트에 회원으로 가입하는 상황을 떠올려보세요. 그때 생년월일을 쓰는 공란이 있다고 하죠. 1990년 12월 3일생이라면 '03/12/90' 같은 식으로 입력해야 합니다. 이때 실수로 '03/15/90'이라고 쓰고 엔터키를 치면 어떻게 될까요? 세상에 15월이라는 것은 없기에 다시 입력하라고 하면서, 'Please enter a valid date'라는 문장이 뜰 가능성이 높습니다. 제대로 된 날짜를 입력하라는 명령이지요. 이제 눈치채셨을 텐데요, 'valid'는 '유효한'이라는 의미입니다. '15월'은 날짜로 유효하지 않은 표현이고, '12월'은 날짜로 유효한 표현입니다.

논변은 전제와 결론의 논리적 구조를 밝혀 결론에 힘을 실어주는 것을 목표로 삼는데, 전제에서 결론이 필히 도출되지 않는다면 논변으로 'valid'하지 않겠지요? 그러한 논변은 **부당한** 논변이 아니라 **유효하지 않은** 논변입니다. 한 논변이 'valid'하다는 표현은 이치에 맞는다는, 즉 타당하다는 뜻이 아니라, 해당 논변의 전제에서 결론이 필히 도출된다는, 그리하여 세 명제의 묶음이 논변으로 **유효**하다는 것입니다.

'soundness'는 어떨까요? 논변이 '건전'할 수는 없습니다. 한국어에서 '건전하다'는 '병이나 탈이 없이 건강하고 온전하다', '사상이나 사물 따위의 상태가 한쪽으로 치우치지 않고 정상적이며 위태롭지 아니하다'라는 의미입니다. 논변의 속성과는 무관한 의미이지요. 'sound'에 '건전하다'라는 의미가 있기는 하지만, 논변이 갖는 속성으로서의 'sound'는 '견고한'이나 '견실한'을 의미합니다. 논변이 형식의 측면에서 **유효**할 뿐 아니라 전제도 참이라서 내용상 'sound'하다는 말은, 그 논변이 형식과 내용의 측면에서 **견고**하고 **견실**하다는 말과 같습니다.

저는 이렇게 제안합니다.

- **좋은 논변은 유효성validity과 견실성soundness이라는 두 가지 조건을 충족해야 한다.**

김은정의 반론

'valid'를 '유효한'으로 번역하는 데에는 문제가 있습니다. 우선, '유효하다'라는 말에는 어떤 것이 **'제한된 맥락에서 옳거나 통용된다'**는 느낌이 있습니다. '유효 기간'이나 '이 승차권은 시내버스에서 유효하다' 같은 표현을 그 사례로 들 수 있습니다. '유효성'은, 논리적 추론에 일종의 필연성이 있음을 함의하는 논변의 속성을 일컫기에 적합한 표현이 아닙니다. 논리적 추론의 속성에는 제한성이 부과되지 않기 때문입니다. 따라서 조건부라는 느낌이 없는 '타당하다'라는 말이 더 적절합니다.

또한 '유효하다'에는 어떤 주체가 특정 행위로 영향력을 발휘함으로써 무언가가 효력을 발휘하도록 한다는 의미도 있는데, 이때 주체와 대상이 상정되기 마련입니다. 예를 들어 '내가 도장을 찍어야 이 계약서는 우리 둘에게 유효하다'에서는 '나'가 유효성을 성립시키는 주체이며, 유효성이 발휘되는 대상은 '우리 둘'입니다. 그러나 논변에서의 'validity'는 논변의 구조 자체에서 비롯하는 내재적 속성을 말하며, 그렇기에 어떤 외재적 주체나 대상을 떠오르게 하는 '유효하다'라는 용어는 논변에 적용되기에 부적절합니다.

이승택의 반론

'타당하다'라는 말이 철학과 일상에서 다르게 사용된다는 점은 분명합니다. 일상에서는 마땅히 나아가야 할 방향으로 일이 잘 이루어져서 옳음을 뜻하지만, 철학에서는 논변이 형식상 문제가 없음을 뜻하니 말입니다. 그러나 비슷한 말인 '정당하다'와 비교하면 '타당하다'의 두 가지 용법이 핵심에서 일치한다는 점을 알 수 있습니다. '정당하다'는 어떤 것이 정의로워서 옳다는 의미가 있는 반면(예를 들어 '정당방위', '정당한 권리', '정당한 판결'), '타당하다'는 어떤 것이 논리에 맞기에 옳다는 의미가 있습니다. 따라서 '타당하다'에도 '옳다'의 의미가 있기는 하되, 이를 내용상의 옳음이 아니라 형식상의 옳음에 제한을 두어 이해하는 것이 철학의 '타당성' 개념이라고 볼 수 있습니다.

'견실하다'라는 말에는 어떤 것이 믿음직스럽다는 느낌이 있는데(예를 들어 '견실한 사람', '견실한 기업'), 논변이 'sound'한 것과 신뢰할 만한 것은 서로 무관합니다. 신뢰할 만하지 않은 논변이라도 전제에서 결론이 필히 따라 나오고 전제와 결론이 참이라면 그 논변은 'sound'하기 때문입니다. 한편 '견고하다'라는 말은 어떤 것이 구조가 튼튼하다는 뜻만 담고 있으므로, 'sound'한 논변이 형식상 문제가 없다는 점은 포착한다 하더라도 내용상 문제가 없다는 점까지 포착하지는 못합니다.

김은정의 반론에 대한 응답

첫째 반론의 핵심에 동의합니다. '유효하다'가 제한된 맥락에서만 작동한다는 점에는 저 역시 생각을 같이합니다. 이를테면 시내에서만 사용해야 한다는 제약 내지 조건을 벗어나지 않을 때만 시내버스 승차권은 유효합니다. 그러나 시내에서 사용한다는 조건을 충족하는 한에서 지속적으로 유효합니다. 논변도 마찬가지입니다. 전제에서 결론이 필연적으로 도출되어야 한다는 조건을 충족하는 경우에만 논변은 논변으로 유효하며, 그 밖의 경우에는 유효하지 않습니다. 유효성에 제약이 있다는 점은 시내버스 승차권이나 논변 모두 마찬가지입니다. 일단 시내에서 버스를 타면, 그리고 전제에서 결론이 도출되면, 승차권과 논변 모두 지속적으로 유효합니다.

　둘째 반론에도 원칙적으로 동의합니다. 계약의 유효

성에 그 주체와 대상이 있듯, 논변의 유효성에도 주체와 대상이 있습니다. 유효성의 주체는 해당 논변 자체이며, 논변의 유효성이 발휘되는 대상은 우리 자신입니다. 논변은 유효성을 획득함으로써 우리로 하여금 도출된 결론을 신빙성 있는 것으로 믿게 합니다.

이승택 님의 반론에 대한 응답

이승택 님의 반론에는 동의하지 않습니다. 옳다는 것이 그 자체로 성립하지 않고 어떠한 측면과 함께 성립한다는 것은 맞습니다. 일례로 어떠한 조세 제도는 그냥 옳은 것이 아니라 재분배의 측면에서 옳을 것입니다. 그런데 '형식상의 올바름'이 성립할 수 있다 하더라도, 그것은 일상 언어에서 너무 멀리 떨어져 있지 않은가 싶습니다. 일상 언어에서 쓰이는 올바름은 모두 내용과 관련한 것입니다. 어떠한 행위나 선택이 올바르다 할 때도 관련 내용을 언급하는 것이지, 형식을 언급하는 것이 아닙니다. 형식은 올바르다기보다는 적절하고 적합합니다.

이어지는 반론에도 동의하지 않습니다. 논변이 'sound'한 것과 신뢰할 만한 것이 무관하다는 주장이 잘못되었다고 생각하기 때문입니다. 어떤 논변이 형식상으로 'valid'하고 내용상으로 'sound'한데, 그 논변을 신뢰하지 않는 일이 어떻게 가능한지 잘 모르겠습니다. 다만 'sound'를 '견실하다'가 아니라 '견고하다'로 번역하는 경우, 이 번역어가 논변에 내용상 문제가 없다는 점을 포착하지 못한다는 데에는 동의합니다. '견실하다'로 번역하면 이 문제가 발생하지 않는다고 봅니다.

최종 번역어 제안

- validity: 타당성→유효성
- soundness: 건전성→견실성

2 필요한 것과 필수적인 것의 차이

: sufficient and necessary condition

개념 설명

우리는 의사소통을 해야만 살 수가 있습니다. 고독한 시간을 즐기는 사람조차 홀로 누워 트위터 타임라인을 볼지도 모를 텐데 이 역시 어떠한 의미의 의사소통일 것입니다. 다른 사람이 발신하는 내용을 수신하는 것은 분명히 의사소통의 한 종류입니다.

의사소통이 제대로 이루어지려면 언어 표현의 의미가 발신자와 수신자에게서 동일하게 수용되어야 합니다. 일례로 발신자가 "나의 최애캐[4]는 셜록 홈스이다."라고 말한다면, 수신자는 이 문장의 의미를 발신자가 의도한 바와 동일하게 수용하여야 합니다. 그래야만 이를테면

4 '최애캐'는 '내가 가장 사랑하는 캐릭터'의 줄임말입니다.

"무슨 소리야. 셜록 홈스는 나만의 최애캐야."라는 반응이 나올 수 있습니다. 이 반응은 '나의 최애캐는 셜록 홈스이다'라는 문장이 동일한 의미로 수용되었음을 방증합니다.

이렇게 문장이 같은 의미로 전달되려면, 문장을 구성하는 요소인 단어도 같은 의미로 전달되어야 합니다. 우리가 일상의 의사소통에 대부분 성공하는 것을 보면, 우리 한국어 사용자들이 거의 모든 단어의 의미를 공유하고 있음을 알 수 있습니다. 그런데 그렇지 않은 경우도 있습니다.

〔사례 1〕

A: 어제 뉴스에 나왔던 그 피의자의 행동은 정당방위 아닌가?

B: 무슨 소리야. 그게 정당방위라면 사회가 무너진다고!

두 사람은 한 피의자가 벌인 행동을 두고 그것이 정당방위인지 아닌지 의견을 달리합니다. 두 사람이 '정당방위'라는 단어의 의미를 다르게 생각한다고도 말할 수 있습니다. 이 대화가 단순한 말다툼이 아니라 유의미한 논쟁으로 이어지려면 '정당방위'라는 단어의 의미를 명료하게 해둘 필요가 있습니다. '정당방위'의 정의를 찾는 작업이 선행되어야 하는 것입니다.

한 단어 내지 개념의 정의definition를 내리는 것은 이 개념의 구획을 확정 내지 한정하는define 것과 같습니다. 이렇게 구획을 하면 그 개념 안에 들어가는 것과 들어가지 않는 것을 명확히 구별할 수 있습니다. 정의를 내리는 일에 어떤 중요성이 있느냐고 의아해하실 분도 있을 겁니다. 무엇이 컵인지는 굳이 정의를 내리지 않아도 쉽게 알 수 있으니 말입니다. 하지만 모든 개념이 이처럼 자명하지는 않습니다.

'존재'라는 개념을 생각해보죠. 이 글을 읽고 있는 여러분은 존재합니다. 그런데 아까 언급한 셜록 홈스도 존재할까요? 소설에 나오는 허구의 인물이기에 셜록 홈스는 존재하지 않는 것 같습니다. 하지만 셜록 홈스가 없다면 셜록 홈스에 관해 이야기하거나('셜록 홈스는 소설 속 등장인물이다'), 실제 사람과 비교하거나('셜록 홈스는 현실의 어떤 탐정보다도 똑똑하다'), 그에 대해 감정 혹은 태도를 갖는 것('나는 셜록 홈스를 존경한다')은 불가능하겠습니다. 따라서 셜록 홈스는 존재하는 것 같기도 합니다. 어떤 생각이 참true이고, 어떤 생각이 거짓false일까요? 셜록 홈스에 관한 명제들의 진릿값truth-value[5]을 어떻게 결정해야 할까요? 이때 우리는 '존재'를 정의함으로써 돌파구를 찾을 수 있습니다. 이처럼 정의를 확보하는 작업은 사유를 명료하게 하는 데 필수입니다.

정의를 내리는 방식은 여럿 있습니다. 대표적인 것을 세 가지 소개하겠습니다. 어떤 아이가 "금붕어가 뭐야?"라고 하면서 '금붕어'의 의미를 묻는 상황을 떠올려 보세요. 여러분이라면 이 아이에게 '금붕어'의 의미를 어떻게 알려주겠습니까? 후다닥 검색한 뒤, "응, 금붕어는 잉엇과의 민물고기인데, 붕어를 관상용으로 개량한 사육종으로 모양과 빛깔이 다른 많은 품종이 있어."라고 알려주지는 않을 것입니다. 이때는 이미지나 실물을 가리키면서, "이런 게 금붕어야."라고 말하는 편이 낫습니다. 아이가 금세 이해할 테고요. 이처럼 한 단어의 정의를 그 단어가 지시하는 대상을 가리키는 방식으로 내리는 경우

5 '진릿값'은 '참/거짓이라는 값'으로 이해하면 됩니다. 단어에 대해서는 성립하지 않으며, 문장 내지 명제에 대해서만 성립합니다. 일례로 '휴대전화'는 진릿값을 갖지 않는 반면, '휴대전화가 책상 위에 있다'는 참이거나 거짓일 수 있습니다.

가 있습니다. 이를 지시적 정의ostensive definition라고 합니다. 지시적 정의를 통해 아이는 '금붕어'의 의미를 알게 되었습니다.

그런데 금붕어는 모양과 빛깔이 다양합니다. 아이는 이제 다른 금붕어를 보면서 "이것도 금붕어야? 이것도 금붕어고?"라면서 질문을 퍼부을 것입니다. 이때 우리는 다양한 모습의 금붕어를 가능한 한 많이 찾아서 보여줄 것입니다. 이제 아이는 '금붕어'의 의미를 더욱 상세히 알게 되었습니다. 우리가 한 이 활동을 열거적 정의enumerative definition라고 합니다. 한 단어의 정의를 지시 대상을 통해 내린다는 점에서는 지시적 정의와 같지만, 그 대상이 하나가 아니라 여럿이라는 점에서 다릅니다.

아이의 질문은 멈추지 않습니다. 조금 특이하게 생긴 금붕어를 보면서 "근데 이건 **왜** 금붕어야?"라고 묻습니다. 이제 아이는 어떤 사물이 금붕어인지 아닌지를 구별하는 것을 넘어, 어떤 사물을 금붕어로 만드는 속성이 무엇인지를 궁금해합니다. '금붕어'가 지시하는 대상은 이 맥락에서는 쓸모가 없습니다. 이때 등장하는 것이 금붕어에 대한 언어적 정의입니다. 우리는 "금붕어는 잉엇과의 민물고기인데, 붕어를 관상용으로 개량한 사육종으로 모양과 빛깔이 다른 많은 품종이 있어."라고 답함으로써 '금붕어'에 대한 정의를 성공적으로 내립니다. 이와 같은 언어적 정의를 통해 **무엇**이 어떤 개념에 속하는지를 넘어, 어떤 **기준**에 따라 그 개념에 속하는지를 알게 됩니다. 이것이 필요충분조건sufficient and necessary condition을 통한 정의입니다. 연습문제 푸는 셈치고 '인간은 이성적 동물이다'라는 진술을 '인간'의 정의로 잡고 이야기를 이어보죠.

인간이 한 사람으로만 이루어진 것은 아닙니다. 지금 인구가 77억 명 정도라고 하는데, 인간에 대한 정의를 제대로 내리려면 77억 명 중 단 한 사람도 피정의항definiendum[6]인 인간에서 빠뜨려서는 안 되겠습니다. 그렇다면 77억 명의 개별 인간 모두를 묶는 어떤 속성을 파악해야 할 텐데요, 그것이 '인간'의 필요조건입니다. '인간'을 '이성적 동물'로 정의한다고 할 때, '동물임'이 바로 인간의 필요조건입니다. 어떤 것이 인간이기 위해서는 우선 동물일 **필요**가 있기 때문입니다. 직관적으로 말해, X

6 '피정의항'은 정의 작업의 대상이 되는 항을 말합니다. 앞에서 본 '정당방위', '존재하다', '인간' 등이 피정의항의 사례입니다. 'X는 무엇인가?'에서 'X'에 해당하는 것이 피정의항입니다. 피정의항을 정의하는 요소들을 '정의항'이라고 합니다. 인간의 경우 '이성성'과 '동물'이 정의항이 됩니다.

의 필요조건이란 'X가 되려면 이 조건만은 만족해야 한다'는 것입니다. 이를 'X가 인간이다'라는 명제가 성립하는 데 'X는 동물이다'가 필요하다고 바꾸어 말할 수도 있습니다.

그러나 어떤 것이 동물이라고 해서 곧 인간이라 할 수는 없습니다. 동물에는 인간 말고도 사자, 연어, 비둘기 등 다른 종이 많습니다. 이제는 인간을 사자, 연어, 비둘기 등과 구별하는 인간 고유의 무언가를 제시해야 합니다. 77억 명의 개별 인간이 모두 공유하면서, 사자, 연어, 비둘기 등은 가지지 않아 오로지 인간만이 가지는 속성을 제시하면 되겠군요. 앞의 정의에 따라 그것을 '이성성'이라고 합시다. '이성성'이 인간에게 고유한 속성이므로, 무언가가 이성적이라면 그것은 인간이기에 **충분**하겠습니다. 직관적으로 말하자면, X의 충분조건이란 '이 조건을 만족하면 X임이 넉넉히 보장된다'는 것입니다. 이를 'X가 이성적이다'라는 명제 하나면 'X는 인간이다'가 성립하는 데 충분하다고 바꾸어 말할 수도 있습니다.

정리하자면 이렇습니다. 필요조건은 인간 집합에 속하는 모든 개별 인간을 그 바깥에서 묶는 기능을 하고, 충분조건은 그렇게 묶인 인간 집합을 동물 내 다른 집합과 구별하는 기능을 합니다. 이렇게 한 개념의 필요충분조건을 제시하는 것이 개념을 정의하는 대표적인 방식입니다. 이와 같은 정의 작업을 통해 우리는 단어의 의미를 확정하고, 이를 통해 의사소통에 성공할 수 있습니다.

번역어에 대한 비판과 제안

'sufficient condition'을 '충분조건'으로 옮기는 데는 문제가 없다고 생각합니다. 제가 생각하는 문제는 'necessary condition'을 '필요조건'으로 번역하는 데서 발생합니다.

〔사례 2〕

A: 포유류의 생존에는 산소가 필요하다.

B: 포유류의 생존에는 산소가 필수적이다.

사실 문장 A와 B의 의미 차이는 거의 없습니다. 그러나 제가 생각하기에 '필요'와 '필수' 사이에는 포함 관계가 성립하는 것 같습니다. '필요'가 '필수'를 포함하는 것이지요.

〔그림 1〕

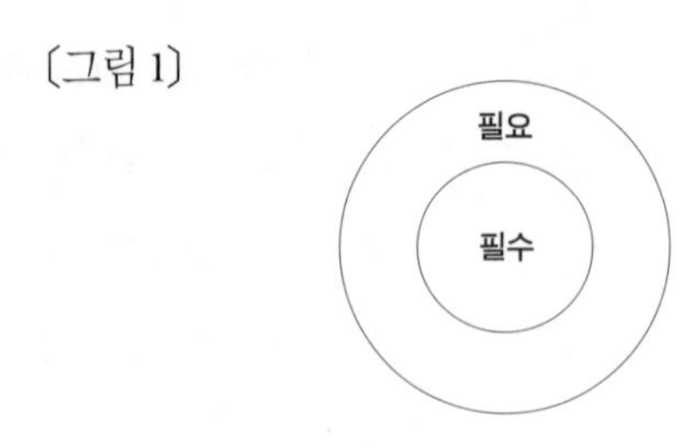

이렇게 보면, 필요하지만 필수적이지는 않은 것과 필요할뿐더러 필수적인 것을 구별할 수 있습니다. 전자의 사례로는 태블릿 PC를 들 수 있습니다. 누군가 태블릿 PC 한 대를 선물한다면, 우리는 이구동성으로 "나 이거 진짜 필요했는데!"라고 외칠 것입니다. 그런데 태블릿 PC가 필수적인 것인가요? 그렇지는 않습니다. 정말로 필수적이었다면 이미 10개월 할부로 하나 샀겠지요. 후자의 사례로는 산소를 들 수 있습니다. 산소는 우리의 생존에 필요할 뿐 아니라 필수적입니다. 생존에 절대 결여되어서는 안 되는 요소입니다. 이러한 사례를 들면 필요한 모든 것이 필수적이지는 않다는 점을 알 수 있습니다.

앞서 든 예로 돌아오겠습니다. '인간은 이성적 동물이다'를 인간의 정의로 간주할 때, 인간이 동물일 **필요**가 있습니까? 아니면 인간이 동물일 것은 **필수적**입니까? 저는 후자라고 생각합니다.

저는 이렇게 제안합니다.

- 충분조건sufficient condition은 어떤 명제가 성립하는 데 충분한 조건이다.
- 필수조건necessary condition은 어떤 명제가 성립하는 데 필수적인 조건이다.

김은정의 반론

제안하신 바에 동의합니다.

이승택의 반론

'필수조건'라는 말이 'necessary condition'의 직관적인 의미를 전달하는 데 효과적임에 동의합니다. 그러나 한 단어의 번역어를 선택할 때는 그것이 해당 단어와 연관하는 다른 단어에 미치는 영향도 함께 고려해야 합니다. 예를 들어 'necessary condition'을 '필수조건'으로 번역한다면, 'insufficient condition'을 '불충분조건'으로 번역하는 것처럼 'unnecessary condition'을 '불필수조건' 내지 '비필수조건'이라고 번역해야 할 텐데, 둘 다 그리 만족스럽지 못합니다. '불필수'라는 말은 사전에 없는 표현이고, '비필수'라는 말은 서술어로 사용될 때 '-적이다'라는 번역투 표현('비필수적이다')을 매번 붙여야 한다는 문제가 있습니다. 그리고 '필요'는 명사로 쓰이는 것이 자연스럽지만('-일/할 필요가 있다'), '필수'는 그렇지 않습니다('-일/할 필수가 있다'). 따라서 이 같은 문제를 피하려면 '필요조건'이라는 기존의 번역어가 더 낫겠습니다('불필요조건', '불필요하다').

이승택의 반론에 대한 응답

저 역시 'unnecessary condition'을 '불필수조건' 내지 '비필수조건'으로 번역하는 선택지가 만족스럽지 못합니다. '불필수'나 '비필수'가 자연스러운 표현이 아니라서 영 어색하기는 합니다. 하지만 어색한 것과 의미가 정확한 것 중 더 우선해야 하는 것 하나를 골라야 한다면 저는 후자를 택하겠습니다. 더욱이 한국 철학계에서는 어색한 것을 그리 꺼리지도 않습니다. 1장에서 설명한 'valid'는 그 반대말인 'invalid'가 '부당하다'라는 어색한 번역어로 쓰이고 있습니다. 하지만 전공자 대부분이 이 번역어의 사용이 부당하지 않다고 생각하는 듯하며, 이 정도의 어색함은 금세 낯익은 것으로 자리 잡으리라고 봅니다.

'필수'가 명사형으로 쓰이기 곤란하다는 지적에도 동의합니다. 하지만 이는 한국어 문장을 조금 바꾸는 방식으로 간단히 처리될 수 있습니다. 일례로 'X가 인간이기 위해서는 X가 동물일 필요가 있다'라는 문장은 'X가 인간이기 위해서는 X가 동물일 것이 필수적이다'라는 문장으로 고쳐 쓸 수 있으며, 이렇게 하면 '필수'가 명사로 쓰이기 곤란하다는 난점은 간단히 극복됩니다.

최종 번역어 제안

- sufficient condition: 충분조건
- necessary condition: 필요조건→필수조건
- sufficient and necessary condition: 필요충분조건→필수충분조건

3 '명석판명'이라는 말을 들어보셨나요?
: clear and distinct

개념 설명

제 경험을 하나 들려드리겠습니다. 저는 반려견과 함께 지내고 있는데, '이 개는 내 책상을 물어뜯는 것을 즐긴다'라는 믿음을 형성한 적이 있습니다. 한두 번 물어뜯은 것도 아니고 말린다고 될 일도 아니어서, 저는 이 믿음이 참이라는 점, 더 정확히 말해 지식이라는 점을 의심한 적이 단 한 번도 없었습니다. 제가 책상에만 앉으면 예외 없이 책상을 물었거든요.

그러던 어느 날, 저는 반려견이 책상을 물어뜯는다는 점을 끝내 받아들여 타박하지도 않고 그냥 '너는 물어라, 나는 일한다'라는 식으로 작업을 계속했습니다. 그랬더니 개가 당황해하면서 저를 보고 마구 짖기 시작했습니다. 저는 깨달았습니다. 이 개가 원하는 것은 책상의 훼손이 아니라 저의 관심이라는 것을요.

이 사건을 통해 저는 단 한 번도 의심하지 않았던, '이 개는 내 책상을 물어뜯는 것을 즐긴다'에 대한 믿음이 사실은 지식이 아니었음을, 제가 잘못 알고 있었음을 깨닫게 되었습니다. 제 믿음은 언제든 훼손될 수 있는, 아주 약한 토대 위에 있었지요. 다소 사적인 사례이기는 하지만 우리가 알고 있는 많은 것이 언제든 이렇게 의심에 노출될 수 있음을 깨닫는 데 도움이 되지 않을까 싶습니다.

의심의 대명사—사실은 고유명사—로 잘 알려진 철학자로는 르네 데카르트가 있습니다. 데카르트는 동시대의 철학적 논의들이 지지부진한 것을 참지 못했습니다. 철학의 긴 역사 동안 제기된 문제를 제대로 해결한 적이 거의 없었다면, 이 기회에 싹 뒤엎고 새로 시작할 필요가 있다고 생각했습니다. 그런데 데카르트는 상식인의 기준을 뛰어넘는 의심을 전개합니다. 상식선에서 의심할 만한 것이 아니라 상황을 최대한 과장하여 조금이라도 의심스러운 것은 지식의 후보에서 탈락시키는 것입니다.

데카르트배 서바이벌 게임에서 탈락한 것들을 간략히 알아보겠습니다. 말씀드렸듯이 전통 철학이 가장 먼저 탈락합니다. 그다음에는 감각 지각이 탈락합니다. 우리는 어떤 음료수가 달콤하다고 생각하지만, 몸 상태가 달라지면 달콤하지 않다고 느끼곤 합니다. 따라서 음료수의 맛에 대한 지식을 감각을 통해 형성하기는 불가능한 듯합니다. 지식은 어느 정도 안정된 것이어야 하거든요. 뭐, 여기까지는 탈락할 만한 것들이 탈락했습니다.

지금부터는 이야기가 조금 다릅니다. 아까 말씀드렸듯이 데카르트의 의심은 대단히 과장되어 있으며, 이처럼 과장된 의심은 데카르트 철학의 특징입니다. 과장된 의심마저 버티는 지식이야말로 모든 학문적 탐구의 토대가 되기에 충분할 테니 그걸 찾으면 된다는 것이 데카르트의 생각입니다. 셋째 탈락자는 우리가 속한 현실 세계의 존재입니다. 우리가 가끔 꿈과 현실을 구별하지 못할 때가 있다는 사실을 떠올려보면 이유를 짐작할 수 있습니다. '꿈인지 생시인지 모르겠다' 같은 표현을 간혹 쓰잖아요? 그러한 표현을 적용할 만한 순간이 단 한 차례라도 있었다면, 현실 세계의 존재 자체도 의심의 대상이 되기에, 즉 지식의 후보에서 탈락하기에 충분합니다.

마지막으로 탈락하는 것은 수학과 논리학입니다. 삼단논법 같은 논리 규칙이 거짓일 가능성을 찾기는 어려워 보입니다. 그러나 의심왕 데카르트는 '전능한 악마malin génie'를 끌어들여 의심의 끝까지 나아갑니다. 수학이나 논리학처럼 틀릴 리 없어 보이는 것조차 악마의 소행일지 모른다고 하네요. 1+1은 사실 2가 아니라 3일지도 모른다는 것이, 악마가 1+1이 2라고 우리를 속이고 있을지 모른다는 것이 데카르트의 주장입니다.

이제 우리는 의심의 끝에 왔습니다. 악마가 누군가를 속인다고 한다면, 속는 대상이 있겠지요. 누구겠습니까? 바로 '나'입니다. '1+1은 혹시 3이 아닐까?'라고 고민하는 '나', 그러한 비물질적 정신인 '나'는 악마에게 속고 있을지언정, 이렇게 속고 있는 '나'는 분명 존재하는 듯합니다. '나'가 없다면 악마에게 속아 잘못된 생각을 할 수도, 의심을 할 수도 없을 테니까요. 따라서 '나는 생각한다, 그러므로 존재한다cogito, ergo sum'는, 의심을 버틸 수 있는 유일하게 참인 명제입니다.

여기서 우리는 데카르트가 참truth의 기준을 독특하게 설정한다는 점을 알 수 있습니다. 일반적으로 참의 기준은 경험적 증거입니다. 예컨대 '창밖에 참새가 날아간다'라는 명제가 참이라면, 이를 참으로 만드는 기준은 창밖에 참새가 날아가는 모습을 보았다는 경험적 증거입니다. 하나 마나 한 이야기인 듯하지만 이것이 상식입니다. 그러나 앞서 보았듯 데카르트에게 경험적 증거는 의심의 여지가 너무 많은, 따라서 지식을 만드는 데 불충분한 기준입니다. 데카르트가 보기에 지식이 될 수 있는 참인 명제, 의심의 여지가 전혀 없는 참일 수밖에 없는 명제는 '나는 생각한다, 그러므로 존재한다'뿐이며, 이는 경험으로 검증되지 않는 특이한 형태의 참인 명제입니다.

그렇다면 이 명제는 어떤 방식으로 참일까요? 일단 추론에 의해 참이라는 결론을 낼 수 없다는 점을 분명히 할 필요가 있습니다. 데카르트의 이 코기토cogito 명제를 다음의 추론을 통해 얻은 것으로 오해하기 쉽습니다.

생각하는 것은 존재한다.

나는 생각한다.

그러므로 나는 존재한다.

1장에서 보았듯이 이러한 추론은 전제가 참일 때에

만 견실할sound 수 있습니다. 이는 코기토 명제의 참이 그 자체로 성립하지 않고, '생각하는 것은 존재한다'라는 명제에 의존한다는 말과 같습니다. '생각하는 것은 존재한다'가 참인 전제인지를 재차 검증해야 하므로 의심은 중단되지 않고 대상을 전제로 바꾸어 이어집니다. 이것은 데카르트가 의도한 사유의 흐름이 아닙니다. 코기토 명제는 직관적인 통찰에 의해 주어진 것입니다. 생각을 잇다 보니 '팍!' 하고 온 것이라는 이야기입니다.

'나는 생각한다, 그러므로 존재한다'는, 참을 입증하기 위해 전제에 의존할 필요가 없는 자명한self-evident 명제입니다. 어떤 명제가 자명하다는 것은 참이라는 사실을 굳이 증명할 필요가 없다는 의미입니다. 'A=A', 즉 '어떤 것은 자기 자신과 같다'가 자명한 명제의 사례입니다. 이렇게 자명한 명제를 부정하는 일은 사실상 불가능합니다. 누군가가 'A=A'를 부정한다면, 여러분은 그가 철학 공부를 너무 열심히 하다가 머리가 이상해졌다고 생각할 것입니다.

한 명제가 이렇게 자명하고 부정할 수 없는 것을 데카르트는 명석하고 판명하다clear and distinct고 표현합니다. 명석함은 '정신이 인식 대상의 구성 요소를 하나하나 세세하게 바라보는 것'이며, 반대말은 애매함obscurity 입니다. 판명함은 '정신이 그 대상을 다른 대상과 구별할 수 있으며, 명석한 것 외에는 다른 무언가를 포함하지 않는 것'이며, 반대말은 혼잡함confusedness입니다. 그런데 이 표현이 이해됩니까? 솔직히 저는 전혀 이해하지 못하여 이것저것 찾아봤으나 명석함과 판명함을 두고 여기서 더 나아간 설명을 찾지는 못했습니다.

데카르트가 직접 든 사례를 두 개 가져오는 쪽으로 방향을 틀겠습니다. 하나는 통증에 대한 것입니다. 갑자기 어깨가 심하게 아프기 시작합니다. 이 어깨 통증은 우리에게 명석한clear 것으로 다가옵니다. 하지만 어깨에서 정확히 어디가 아픈지, 근육이 아픈지 뼈가 아픈지 우리는 구별하기가 어렵습니다. 이 점에서 어깨 통증은 명석할지언정 판명하지distinct는 않습니다. 데카르트는 우리의 눈에 쨍하게 들어오는 시각 이미지를 사례로 들기도 합니다. 노을을 떠올려보세요. 노을은 우리에게 명석하게 다가올뿐더러 다른 것과 섞이지 않는다는 점에서 판명하기도 합니다.

제가 어릴 적에 자주 하던 장난도 명석판명함의 사례로 들 수 있습니다. 누군가가 손가락으로 여러분의 목

뒤편을 쿡 찌른 다음 "무슨 손가락이게?"라고 묻는 경우도 떠올려보세요. 누가 손가락으로 찌른 것이 확실히 느껴진다면 그 감각 경험은 명석한clear 것입니다. (누가 찔렀는지, 혹은 찌르지 않았는지조차 확실치 않다면 명석하지 않은 것이고요.) 무슨 손가락으로 찔렀는지가 확실하지 않고 오락가락하다면 판명하지distinct 않은 것입니다. 물론 다른 손가락이 아니라 새끼손가락으로 찌른 것이 확실하다면 그때의 경험은 판명한 것입니다.

　데카르트에 따르면, '나는 생각한다, 그러므로 존재한다'만이 명석하고 판명한 명제입니다. 이 명제가 의미하는 바가 (목 뒤편이 어떤 손가락으로 콱 찔린 것처럼) 분명할뿐더러, 의심할 수 있는 다른 명제와 확연히 (엄지손가락이 아니라 새끼손가락으로 찔린 것처럼) 구별되기 때문입니다.

번역어에 대한 비판과 제안

'명석'과 '판명'이라는 두 가지 표현 모두 큰 문제가 있는 번역어라고 생각합니다. '명석'부터 논하겠습니다. '명석'을 어근으로 삼는 '명석하다'는 현대 한국어에서 '생각이나 판단력이 분명하고 똑똑하다'를 의미합니다. 이 의미를 받아들인다면 '명석하다'는 사람에게만 귀속될 수 있는 형용사입니다. 애초에 개념이나 명제를 서술할 수 있는 표현이 되지 못합니다.

(데카르트는 라틴어로 글을 썼지만) '명석'에 해당하는 영어 단어는 'clear'입니다. 'clear'는 분명하고 또렷하다는 의미입니다. 예컨대 'clear direction'은 '분명한 지시' 내지 '명료한 지시'이며, 'The photo wasn't very clear'는 '그 사진이 그리 또렷하지 않았다'입니다. '나는 생각한다, 그러므로 존재한다'는 명석한 명제가 아니라 분명한, 명료한, 또렷한 명제입니다. 이것이 의미하는 바가 분명하고 명료하고 또렷하기 때문입니다.

'판명'은 어떠한가요? 저는 데카르트 철학을 공부할 때를 제외하면 '판명'이라는 단어를 들은 적이 한 번도 없습니다. 설사 이 번역어가 의미상으로 문제가 없을지라도, 현재 통용되지 않는 단어를 번역어로 고집할 필요는 없다고 생각합니다. 더욱이 이 번역어는 의미상으로도 문제가 있습니다. '판명'에 해당하는 영어 단어는 'distinct'입니다. 'distinct'는 명료하고 구별된다는 의미입니다. 예컨대 'distinct difference'는 '명료한 차이'이고, 'distinct personality'는 '독특한 개성'이며, 'distinct groups'는 '서로 구별되는 집단'입니다. '나는 생각한다, 그러므로 존재한다'는 판명한 명제가 아니라 명료하고, 독특하며, 구별되는 명제입니다. 'clear'한 것인데 다른 불순물이 섞이지 않은 상태라면 그것은 'distinct'합니다.

요컨대, '나는 생각한다, 그러므로 존재한다'는 명석하고 판명한 것이 아니라, 명료하고 구별되는 것입니다. '명석판명' 같은 낯선 한자어는 철학 개념 같고, '명료함과 구별됨' 같은 일상어는 철학 개념이 아닌 것처럼 느껴질지 모르겠습니다. 하지만 저는 우리가 일상 언어로 철학 개념을 다루는 시도를 할 때가 왔다고 생각합니다. 이 시도가 성공적으로 이루어져야만 "그냥 차라리 영어 문헌으로 읽어."라는 말의 빈도를 줄일 수 있을 것입니다.

저는 이렇게 제안합니다.

- **한 관념이나 명제는 우리의 정신에 또렷하게 나타날 때 명료하다**clear.
- **그렇게 명료한 것만 담겨 있을 때 한 관념이나 명제는 다른 것과 구별된다**distinct.

김은정의 반론

앞서 설명했듯 데카르트 철학에서 'distinct'의 뜻에는 'clear'가 함축되어 있습니다. 그런데 '구별되다'라는 번역어에는 'clear'의 의미가 함축되지 못하는 듯합니다. 예를 들어 멀리서 걸어오는 두 사람이 흐릿하게 보이면서도 두 사람으로 구별되어 보인다고 말할 수 있으니 말입니다. 'distinct'에 상반하는 단어로 'confused'가 제시된다는 점에서도, 'confused'의 반대말로 '구별되다'는 충분하지 않은 것 같습니다. 여기서 'distinct'는 다른 것과 섞여 있을 때도 별개의 것으로 파악될 만큼 뚜렷하다는 의미일 테니, 다른 것과 구별된다는 점만큼이나 독자적인 명료성도 중요합니다. 그러므로 관건은 'clear'보다 강한 의미로 '분명하다' 내지 '명료하다'를 나타내면서도 구별됨의 의미를 담은 번역어를 찾는 데 있겠습니다. 이러한 점에서 기존의 번역어인 '판명하다'가 생소할지언정, 수동형인 '-임이 판명되다'로 쓰일 때의 '-임이 명명백백하게 드러나다'라는 뜻이 우리에게 익숙하듯, 이 단어가 'distinct'가 표현하고자 하는 바와 통하므로 가능한 선택지가 된다고 생각합니다. '분명하다', '또렷하다', '명확하다', '명료하다'는 서로 대체 가능한 단어로서 'clear'의 번역어로는 가능하겠지만, 'distinct'도 이들 단어 중 하나로 번역하면 의미상 'clear'와 구별되기 어려울 듯합니다.

이승택의 반론

'clear and distinct'의 번역어로 '명석판명'이 부적합하다는 데 깊이 공감합니다. 그리고 'clear'를 '명료하다'로 번역하는 것에도 큰 이견이 없습니다. 다만 'distinct'를 '구별되다'로 번역하는 것에는 우려되는 점이 있습니다. 한국어의 '구별되다'라는 말은 '진짜와 가짜가 구별되지 않는다'처럼 '-와/과'로 이어지는 비교 대상과 함께 쓰이거나, 아니면 '두 자매는 서로 너무 닮아 구별되지 않는다' 처럼 복수 표현을 주어로 삼아 쓰이는 반면, 영어의 'distinct'는 그렇지 않은 듯합니다. 달리 말해, '구별되다'는 특정한 비교 대상을 항상 전제하는 반면, 'distinct'는 꼭 그렇지 않습니다. 예컨대 'He is a man of distinct personality'라는 문장을 '그는 구별되는 성격을 가진 사람이다'라고 번역하는 것은 다소 어색합니다. 아마 이는 '구별되다'와 달리 'distinct'에 'distinguished or separated from others by nature or qualities; possessing differentiating characteristics'라는 의미, 즉 **고유하고 독특한** 특성이 있다는 의미가 담겨 있기 때문일 것입니다. 따라서 '-와/과' 등의 표현이나 복수 주어 없이 단독으로 사용되지 못하는 '구별되다'라는 표현보다는 차라리 '고유하다', '독특하다', '특이하다', '유별나다' 같은 표현이 'distinct'의 번역어에 더 적합하리라는 생각이 듭니다.

김은정의 반론에 대한 응답

'distinct'에 대한 설명에 동의합니다. 다만 '판명'이라는 단어의 사용은 완곡히 거부하고자 합니다. 철학에서는 일상 언어의 표현을 가져와 의미를 덧붙이는 경우가 잦습니다. 저는 '명료한'이라는 단어를 그렇게 사용하면 어떨까 싶습니다. 말씀하신 대로 '분명하다'와 '명료하다'가 날카롭게 갈라지지는 않지만, 데카르트 철학이라는 맥락에서는 '명료한'을 '분명한'과 구별하여 사용하자고 약정하면 되지 않을까 싶습니다.

이승택의 반론에 대한 응답

제안하신 바와 유사하게, 어떤 영어권 번역자는 '명석판명'에 해당하는 라틴어 'clara et distincta'를 'clear and distinct'가 아니라 'vivid and clear'라고 번역하기도 했습니다.[7] 'distincta'가 'clear'로 번역된 적이 있음을 보면, 'distinct'를 '구별되는'으로 번역하자는 제 제안이 적절하지 않은 듯합니다.

앞에서 저는 'clear'를 설명하면서 '분명하고 명료하고 또렷한'이라는 표현을 썼고, 'distinct'를 설명하면서 '명료하고, 독특하며, 구별되는'이라는 표현을 썼습니다. 여기서도 '명료한'이라는 표현이 중복되어 있음을 확인할 수 있는데요, 이 점을 살려 'clear'는 '분명한'으로, 'distinct'는 '명료한'으로 번역하면 어떨까 생각해봅니다. 데카르트 철학에서 'distinct'는 말씀하신 'distinguished or separated from others by nature or qualities; possessing differentiating characteristics', 즉 '고유하고 독특한 특성을 가짐'이 아니라 'so clearly apparent to the mind as to be unmistakable', 즉 '마음에 선명하게 나타나 착오가 있을 수 없음'이라는 의미라고 알기에, 이 선택지를 제안합니다.

독자께서도 느끼시겠지만 'distinct'에는 뜻이 여럿

7 조너선 베넷Jonathan Bennett이 그렇게 번역했습니다. https://www.earlymoderntexts.com/에 번역 원고가 공개되어 있습니다.

있습니다. '구별되다', '뚜렷하다', '독특하다', '명료하다' 등의 의미가 있고 모두 자주 쓰입니다. '나는 생각한다, 그러므로 존재한다'가 'distinct'하다고 할 때, 그것이 어떤 의미의 'distinct'인지 고민했으면 합니다. 더불어 전공자의 설명을 기다립니다.

최종 번역어 제안

- clear: 명석한→ 분명한
- distinct: 판명한→ 명료한

4 '객관적'에는 두 가지 의미가 있다
: objective validity

개념 설명

우리는 여러 단어로 문장을 만들고, 이 문장을 통해 의사소통을 수행합니다. '창밖에 까마귀가 날아간다'부터 '인간은 자율적인 존재자이다'에 이르기까지 이런저런 의미를 주고받으면서 살지요. 단어와 문장이 없다면 어떻게 살아야 할지 엄두가 나지 않습니다. 유의미한 단어는 인간이 사회적 존재자로 존재하는 데 필수적입니다.

단어가 의미를 갖는 데에는 두 가지 요건이 요구됩니다. 첫째 요건은 소유 내지 획득의 정당성입니다. 다시 말해, 어떤 단어를 획득하게 된 과정이나 방식이 정당할 때 그 단어를 유의미하게 사용할 수 있습니다. '까마귀'를 예로 들어보겠습니다. 우리는 이 단어를 어떻게 얻었을까요? 누군가 수많은 새를 관찰한 뒤 그것들에서 공통

점을 추출하고, 이에 기반하여 이 새들을 하나의 종으로 묶은 다음 '까마귀'라는 이름을 붙였을 것입니다. '까마귀'라는 단어를 획득하게 된 방식이 정당하기 때문에 우리는 이 단어에 의미를 부여할 가능성을 얻게 됩니다.

획득만으로 다 해결되지는 않습니다. 단어가 의미를 갖는 데 요구되는 둘째 요건은 사용 내지 적용의 정당성입니다. 다시 말해, 단어가 무언가에 실제로 적용되어야만 유의미하게 사용할 수 있습니다. 앞서 본 '까마귀'는 '저기 전봇대 위에 까마귀가 앉아 있다' 같은 문장 속에 등장하여, 전봇대 위에 앉아 있는 까마귀에 적용됩니다. '까마귀'라는 단어가 허공으로 날아가지 않고 전봇대 위에 있는 새에 실제로 적용된다는 말입니다. '까마귀'를 적용하는 방식이 정당하기 때문에 우리는 이 단어에 의미를 부여할 가능성을 얻습니다.

우리가 쓰는 거의 모든 단어가 획득과 적용에 문제가 없습니다. 예컨대 '스마트폰'은 어떻습니까? 통화 이상의 다양한 기능을 행하는 휴대전화가 나오면서 우리는 '스마트폰'이라는 단어를 획득하였고, 이 단어는 요즘 우리가 사용하는 다종다양한 휴대전화에 적용되어 쓰입니다. 그렇기에 '스마트폰'은 유의미한 단어이고, 유의미한 문장의 요소가 될 수 있습니다.

문제는 획득과 적용이 쉽게 정당화되지 않지만 분명히 유의미한 단어들이 있다는 것입니다. 이제부터 칸트를 이야기해보겠습니다. 칸트 철학을 추동하는 물음이 셋 있습니다. '인간은 무엇을 알 수 있는가?', '인간은 무엇을 행해야 하는가?', '인간은 무엇을 희망해도 되는가?', 이상 셋인데요, 이 장의 소재인 'objective validity'는 첫째 물음과 연관합니다.

우리가 무엇을 알 수 있는지에 답하기에 앞서, 칸트는 앎 내지 지식의 본성이 무엇인지를 검토합니다. 지식이 무엇인지를 사전에 명료하게 정리하지 않는다면, 인간이 무엇을 알 수 있느냐는 물음에 성공적으로 답할 수는 없을 테니까요. 지식의 후보라고 할 만한 문장을 세 가지 들어보겠습니다.

1) 창밖에 눈이 내린다.

2) 영혼은 불멸한다.

3) 1+2=3

첫째 예문을 보죠. 우리는 창문을 열고 세계를 관찰한 후 '나는 창밖에 눈이 내리는 것을 안다'라고 진술할 수 있습니다. 이 점에서 '창밖에 눈이 내린다'는 지식의 대상임이 분명해 보입니다. 두 번째 예문은요? 소멸한다는 것은 부분들로 해체되는 것인데 영혼은 정의상 부분이 없는 단순한 것입니다. 부분이 없는 단순한 것은 해체될 수 없으니 소멸하지 않으며, 소멸하지 않으니 불멸합니다. 이렇게 보면 '영혼은 불멸한다'도 지식의 대상인 듯합니다. '1+2=3'이라는 세 번째 예문이 지식의 대상이라는 점은 굳이 설명할 필요가 없겠습니다. 수학은 내신 등급을 떨어뜨릴지언정 우리에게 지식을 선사합니다.

그런데 칸트는 1)과 2)가 엄밀한 의미의 학문적 지식의 기준에는 미달한다고 생각합니다. 우선, 칸트의 입장에서 2)는 지식이 될 수가 없습니다. 경험으로 얻은 자료 없이 머릿속 추론 과정만으로 얻은 명제이기 때문입니다. 경험이라는 기준 없이는 어떠한 명제가 참인지 거짓인지를 판정하기 곤란하다는 점에서 칸트는 경험적 요소가 전혀 없는 명제는 지식의 대상이 될 수 없다고 봅니다. 물리학이 그러하듯 우리는 경험적 자료에서 시작해야 합니다.

1) 역시 지식이 될 수 없습니다. 그런데 이유는 2)와 반대입니다. 1)이 경험으로 얻은 자료에 의거한 명제이기는 합니다. 창문을 열고 밖을 내다보면 참인지 거짓인지를 판정할 수 있기도 하고요. 하지만 학문적 지식에는 보편성과 필연성이라는 두 가지 요건이 있는데, 2)는 해당 요건을 충족하지 못합니다. '보편성'은 '예외 없이 적용됨' 정도로, 필연성은 '참이 아닌 경우를 떠올릴 수 없음' 정도로 이해하면 무난합니다. 하지만 '창밖에 눈이 내린다'가 거짓인 상황을 떠올리는 것은 그리 어렵지 않습니다. 이 명제는 머리 밖의 요소로만 만들어져서 문제입니다.

예상하시겠지만 칸트에게는 3)이야말로 좁은 의미의 학문적 지식에 해당합니다. '1+2=3'은 머릿속의 논리적 요소로 말미암아 필연성과 보편성을 획득합니다. 그리고 이 명제는 머리 밖의 요소와도 연결됩니다. '3'에는 애초에 '1+2'라는 것이 담겨 있지 않습니다. 이를테면 '3'은 '0.5+2.5'일 수도 있지요. '1+2=3'은 3에 대한 새로운 정보를 알려준다는 점에서 머리 밖의 요소도 담으며, 따라서 어떤 의미에서 경험적 요소가 있습니다. 이것이 칸트가 말하는 엄밀한 의미의 지식의 대상, 즉 선험적 종합 명제synthetic *a priori* proposition입니다. '선험'은 '경험에 앞선' 내지 '경험과 무관한'이라는 의미이고, '종합'은 '경험과 유관한'이라는 의미입니다. 다시 말해, '선험적 종합 명제'는 '경험과 무관한 요소와 경험과 유관한 요소를 함께 갖는 명제'를 뜻합니다. '1+2=3'이라는 명제는 그 자체로 필연성과 보편성을 확보한다는 점에서 경험과 무관하고, '3'에 대한 새로운 정보를 준다는 점에서 경험과 유관합니다. 그러니 진짜 지식입니다.

그런데 이와 같은 선험적 종합 명제를 우리는 어떻게 갖게 될까요? 다른 철학자들이 외부 세계가 존재하는지, 지식이 성립할 수 있는지를 진지하게 물을 때, 칸트는 "밥 잘 먹고 왜들 그래… 무슨 소리야?"라고 반응합니다. 외부 세계는 있고, 지식은 이미 수학과 물리학 등의 영역에서 성립된 상태이니, 철학은 지식이 성립할 수 있는지를 **의심**할 것이 아니라 지식이 성립하는 **조건**을 물어야 한다는 것입니다. 그와 같은 조건 가운데 하나가 범주category[8]입니다.

8 '범주'라는 단어는 철학자마다 무척 상이한 의미로 쓰입니다. 아리스토텔레스가 말하는 '범주', 칸트가 말하는 '범주', 헤겔이 말하는 '범주', 퍼스가 말하는 '범주'의 의미가 서로 다르니, 여기서 말하는 '범주'는 칸트에 대한 것으로 제한하여 생각해야 합니다.

이 자리에서 범주를 상세히 설명할 수는 없습니다. 다만 범주가 우리의 사유를 가능하게 하는 일종의 개념틀conceptual framework이라는 점은 말씀드려야겠습니다. 예문을 세 개 들겠습니다.

이 사과는 달콤하다.

사과들이 나무에 매달려 있다.

모든 사과는 열매이다.

세 예문의 주어는 모두 '사과'이지만 개수가 서로 다릅니다. 첫째 문장에는 사과가 **하나** 있고, 둘째 문장에는 **여럿** 있으며, 셋째 문장에는 **모두** 있습니다. (사과 자리에 다른 것을 넣어도 무방합니다.) 명제를 만들려면 우리 머릿속에서는 일단 주어에 해당하는 사물이 몇 개인지를 확정해야 하는데, 그 '몇 개'에 해당하는 가장 일반적인 틀이 '하나', '여럿', '모두'입니다. '하나', '여럿', '모두' 같은 개념틀이 머릿속에 있기에 우리는 문장을 만들 수 있습니다. 이러한 개념틀을 범주라고 하고, 이 범주는 '하나', '여럿', '모두'를 포함하여 총 열두 개가 있습니다.

다시 처음으로 돌아갑니다. 개념이 유의미하려면 그

것의 획득과 적용이 정당해야 합니다. 그런데 칸트는 '하나', '여럿', '모두' 같은 범주의 획득을 밝히는 일이 참 어렵다고 말합니다. 우리가 사과 하나, 컴퓨터 하나, 사람 하나를 관찰하여 '하나'라는 개념을 얻은 것이 아니라, 이 개념이 원래 우리의 머릿속에 있었기 때문입니다. 적용을 밝히는 일은 더 어렵습니다. 이들 개념은 경험에서 기원하는 것이 아닌데, 자신이 적용되어야 하는 대상은 경험적 영역에 있기 때문입니다. 하나 있는 사물에 '하나'를 적용하기는 하나 이 일이 어떻게 가능한지를 설명하기는 어렵습니다.

칸트는 『순수이성비판』 내의 「형이상학적 연역」과 「초월론적 연역」이라는 대목에서 이 문제들을 해결하는 데 착수합니다. 범주가 우리의 머릿속에 정말 있음을, 우리가 범주를 소유 내지 획득하고 있음을 보이는 작업이 형이상학적 연역이며, 그렇게 우리의 머릿속에 정말로 있는 범주가 지식의 성립에서 필수적necessary임을 보이는 작업이 '초월론적 연역transcendental deduction'입니다.[9] 후

9 '형이상학적 연역'이나 '초월론적 연역' 같은 표현은 칸트의 전문 개념으로, 이 표현을 듣고 우리가 머릿속에 떠올리는 것과는—이를테면 연역 추론과는—차이가 있습니다. 칸트 철학에 대한 설명이 4장의 목표는 아니기에 자세한 설명은 생략하겠습니다.

자의 작업을 '범주가 객관적 타당성objective validity을 가지는 것을 보인다'라고 표현하기도 합니다. 초월론적 연역은, 범주가 특정한 객관object에 적용되는 일이 지식이 만들어지는 데 필수적임을 보이는 작업이기도 하기 때문입니다.

요컨대, 범주가 객관적 타당성을 가진다는 말은 '하나' 등의 범주가 (아무것에도 적용되지 않는 가짜 개념이 아니라) 어떠한 대상에 적용되는 진짜 개념임을 입증한다는 말과 같습니다. 즉 범주는 경험에서 비롯한 것이 아닌데도 실제 경험적 대상에 해당하는 객관과 관계합니다. 이 작업을 통해 범주의—'까마귀' 같은 경험적 개념과는 다른 방식이기는 하지만—획득과 적용이 정당화된다고 칸트는 봅니다. (이 작업의 성공 여부를 두고는 아직도 연구자들 사이에서 의견이 분분하지만요.) 그리고 이 정당화 작업을 통해 범주가 좁은 의미의 지식의 대상인 선험적 종합 명제의 조건이라는 점도 밝혀집니다.

번역어에 대한 비판과 제안

'objective validity'는 보통 '객관적 타당성'이라고 번역하는데, '객관적'도 '타당성'도 문제가 있습니다. 'validity'를 '타당성'으로 번역하는 데 따르는 문제는 이미 1장에서 말씀드린 바 있으니 여기서 반복하지는 않겠습니다. 이 대목에서도 'validity'는 '유효성'으로 번역되어야 합니다. 앞서 어떠한 단어가 유의미하려면 적용에 성공해야 한다고 말씀드린 바 있습니다. '까마귀' 같은 단어는 실제 까마귀에 적용되기에 단어로서 '유효'합니다. ('마녀'는 누구에게도 적용되지 않기에 단어로서 '무효'합니다. 즉 유효하지 않습니다.)

'objective'는 영어로도, 한국어로도 오해를 사기 십상입니다. (그래서 한 과학철학자는 자신의 저서에서 'objective'라는 단어를 가능한 한 덜 쓰겠다고 말하기도 했습니다.)[10]

10 피터 고드프리스미스Peter Godfrey-Smith가 쓴 『이론과 실재: 과학철학 입문』의 32-33쪽에 이런 문장이 있습니다. "그러나 이 용어는 여러 가지 매우 다른 것을 의미하는 데 사용되는 극히 파악하기 어려운 용어가 되어 왔다. 때로 객관성은 편향되지 않음을 의미하는 것으로 간주된다. (…) 그러나 '객관적'이라는 용어는 또한 종종 어떤 것의 **실존**이 우리 정신과 독립적인지에 관한 주장을 표현하는 데 사용되곤 한다. (…) 이러한 애매성 때문에 나는 종종 '객관적'과 '객관성'이라는 용어를 피할 것이다."

'객관적'이라는 단어에는 '주관적 요소의 영향을 받지 않는'이라는 의미도 있고, '객체와 연관하는'이나 '객체에 대한'이라는 의미도 있습니다. 전자와 관련해서는 '객관적 판단' 같은 용례를 들 수 있습니다. 일례로 축구팀에서 선발 출전할 선수를 뽑을 때 감독은 선수와의 친분 같은 주관적 요소 없이 객관적인 판단을 내려야겠습니다.

이때 선수를 뽑는 기준은 어디에 있을까요? 당연히 선수 각자에게 있습니다. 주관 혹은 주체가 아니라 객관 내지 객체에 초점을 맞추기에 주관적 요소를 배제할 수 있고, 그렇기에 우리는 객관적인 판단을 내릴 수 있습니다. 그래서 'objective'는 '객체적' 내지 '객체에 대한'이란 뜻이기도 합니다. 사실 우리가 일상에서 자주 쓰는 '객관적인'이라는 말은 '객체에 대한'을 기저에 깔고 있기에 '주관적 요소의 영향을 받지 않는'이라는 의미를 가질 수 있습니다.

어떠한 개념이 'objective validity'를 갖는다는 것은 이 개념이 '객관적으로 타당하다', 즉 '주관적 요소 없이 누구든 받아들일 만하다'는 뜻이 아니라 '그것이 적용되는 객체가 있어 개념으로서 유효하다'는 뜻입니다. '까마귀'는 아무것에도 적용되지 않는 가짜 개념이 아니라 나름의 객체object에 적용되며, 그렇게 객체에 적용되기에 개념으로서 유효합니다valid. '하나' 같은 범주 역시—외부 사물은 아니지만—고유의 대상object에 적용되어 지식의 산출에서 필수적인 역할을 수행하며, 그렇기에 개념으로서 유효합니다.

저는 이렇게 제안합니다.

- **객체 유효성objective validity은 한 단어가 유의미하게 되는 데 요구되는 조건 중 하나이다.**

김은정의 반론

철학에서 무언가를 'objective'하다고 서술할 때는 보통 그 무엇이 '보편타당하게' 성립한다는 의미를 지닙니다. 그런데 이를 '객체'라고 번역하면, 'objective'라는 표현을 사용하는 철학적 입장이 모두 주체와 객체의 대립을 상정하는 것만 같습니다. 이러한 오해를 피하려면 어떤 논의의 맥락에서는 '객체(적)'이라는 번역어 사용을 지양해야 합니다. 심지어 칸트 철학에서도 'objective'가 객체와 관련한다는 의미만을 가지는지는 의문입니다. 개념이 객관적으로 사용될 수 있다는 말은, 그러한 사용이 주관 '일반'에 타당하게 간주될 수 있다는 의미도 들어 있기 때문입니다. 그렇다면 'objective'는 객체와의 관련성만을 서술하는 용어가 아닌 것 같습니다. 이렇듯 '객체(적)'이라는 번역어는 'objective'에 대한 강한 해석 내지 좁은 해석에 해당하므로, 매우 제한적으로만 사용할 수 있을 듯 합니다.

이승택의 반론

만약 'objective validity'가 이 글에서 논하는 것처럼 한 단어를 유의미하게 만드는 데 반드시 요구되는 조건 중 하나라면, 오히려 'objective'를 '객체적'이 아니라 '객관적'으로 번역하는 것이 더 적합하리라는 생각이 듭니다. 일반적으로 단어의 적용 사례가 있는지 없는지는 단어의 유의미함 여부와 별개의 문제일 터이니 말입니다. 우선 누군가는 '마녀'라는 단어가 정말 무의미한지를 따져 물을 수 있습니다. '마녀'는 '꽈찌쭈'같이 순전히 무의미한 단어와 분명 다릅니다. 그리고 설령 '마녀' 같은 단어가 엄밀히 말해 유의미하지 못하다고 하더라도, 이유는 '마녀'의 적용 사례가 없어서라기보다는 '마녀'의 적용 사례가 화자마다 달라진다는 데, 다시 말해 **주관적인** 적용 기준만을 가진다는 데 있는 것처럼 보입니다. 이는 단어의 유의미성이 단어의 적용 사례가 아니라 의사소통적 효용성만으로 충분히 보장된다는 사실—달리 말해, 한 단어가 유의미하려면 이 단어로 의사소통을 할 수 있으면 되지 반드시 특정 대상에 적용할 필요는 없다는 사실—에 의해서도 뒷받침된다고 생각합니다.

김은정의 반론에 대한 응답

"철학에서 무언가를 'objective'하다고 서술할 때는 보통 그 무엇이 '보편타당하게' 성립한다는 의미를 지닌다."라고 말씀하셨는데, 저는 이에 동의하지 않습니다. 'objective'에 '주관적 요소의 영향을 받지 않는'이라는 뜻과 '객체와 연관하는'이라는 뜻이 있는 것 자체는 분명하다고 봅니다. 그리고 'objective'가 후자로 쓰이는 경우가 적지 않습니다. 일례로 '도덕법칙의 objective validity'는 '도덕법칙이 누구나 동의할 만한 타당성을 가짐'이 아니라 '도덕법칙이 실제 세계에 구현되어 유효함'을 의미합니다. 전자를 의미할 때에는 'objective validity'가 아니라 'universal validity'가 쓰이고요. 이처럼 한국어에서 'objective'라는 형용사를 '객관적'이라는 말로 번역할 때 후자의 의미가 성공적으로 전달되는 경우가 있는지 의문입니다.

한국어로든 영어로든 '객관적'이라는 단어 자체가 최소한 두 가지 의미를 가지기에, 범주가 대상에 적용되어 지식의 성립에 필수적임을 보이는 칸트의 연역 작업에서는 오해의 여지가 없도록 '객체적'이라는 번역어를 택하는 편이 낫다고 생각합니다. 물론 이 외의 경우에는 '객관적'으로 번역할 수 있겠습니다.

"개념이 객관적으로 사용될 수 있다는 말은, 그러한 사용이 주관 '일반'에 타당하게 간주될 수 있다는 의미도 들어" 있다고 말씀하셨습니다. 그런데 칸트의 연역 작업을 이렇게 읽는 것이 일반적으로 받아들여지는 방식인지 잘 모르겠습니다. 개념이 객관/객체에 적용될 수 있는 것과, 개념의 사용이 주관 일반에 유효한 것은 별개의 문제입니다. 저는 칸트의 연역 작업은 전자에 초점을 맞추며, 후자는 그 자체로 중요한 문제일지언정 칸트가 연역 작업에서 집중한 문제는 아니라고 알고 있습니다. 만일 칸트가 이 두 작업을 연역에서 동시에 행하고자 했다면, 칸트 자신이야말로 'objective'의 애매성에서 혼란을 빚었던 것이 아닐까 생각합니다.

이승택의 반론에 대한 응답

지적 자체는 맞습니다. 어떤 단어가 의미를 획득하는 데 특정한 대상에 대한 적용이 반드시 요구되지는 않습니다. 그러나 칸트가 연역 작업을 통해 하고자 했던 것은, 우리의 머릿속에 있는 개념틀인 범주가 어떤 대상에 필히 적용될 필요가 있음을 보이는 것이었습니다. 외부에서 우리 머릿속으로 들어온 대상이 지식으로 변환되려면 몇 가지 조건이 충족되어야만 하고, 그중 하나가 범주라는 것이 핵심입니다. 즉 반대로 말하자면 범주라는 조건은 그것이 지식 형성에 필수적이니 정말로 **있다**는 것을 보이는 데 핵심이 있습니다. 개념 내지 범주의 **의미**에 초점이 맞추어진 것이 아닙니다. 따라서 이승택 님의 비판 자체는 동의하되, 칸트의 연역 작업에 대한 이 논의에는 적용할 수 없다고 답하겠습니다.

독자께 제안합니다. 'objective'를 '객관적'으로 번역한 철학 텍스트를 수도 없이 보셨을 것입니다. 거기 담긴 문장 중 몇 개를 '객체적' 내지 '객체에 대한'으로 바꾸어 읽어보시기를 권합니다. 'objective validity'나 'objective correlative'의 경우에는 특히 그렇습니다. 'objective validity'는 '객관적 타당성', '객관적 유효성', '객체에 대한 타당성', '객체에 대한 유효성' 중 무엇일까요? 'objective correlative'는 '객관적 상관물'과 '객체적 상관물' 중 무엇일까요? 그리고 'objective'와 'universal'이 다른 의미로 쓰였다면—똑같은 의미라면 굳이 'objective and universal'이라고 이어서 쓸 이유가 없습니다—그때 'objective'에 어떤 의미가 있을지도 고민해보셨으면 합니다.

최종 번역어 제안

- objective validity: 객관적 타당성→ 객체 유효성

5 형식에 의미가 있다니요?

: significant form

개념 설명

한 개념의 정의를 내리는 것이 무엇을 의미하는지, 필요충분조건—제 제안으로는 필수충분조건—을 활용하여 정의를 내리는 방식이 어떠한 것인지는 2장에서 살펴보았습니다. 우리는 '사과', '정의롭다', '아름답다' 등의 단어에 대한 정의를 내림으로써 의미를 고정하고, 이렇게 고정된 의미를 바탕으로 의사소통을 성공적으로 수행할 수 있습니다.

그런데 의미가 잘 고정되지 않는 단어가 있습니다. 그중 하나가 '예술'입니다. '예술'에서는 어떻게 정의하더라도 자꾸 그 정의에서 누락되는 예술작품이 있습니다. 반대로 분명히 예술작품이 아닌데도 그 정의 안에 들어가 버리는 일도 발생합니다. 일례로 '예술'을 '특별한 재료, 기교, 양식 따위로 감상의 대상이 되는 아름다움을 표현하려는 인간의 활동 및 그 작품'으로 정의한다고 하죠. 꽤 괜찮은 정의 같습니다. 그런데 마르셀 뒤샹의 〈샘〉이 이 정의 안에 들어가나요?[11] 그렇지 않습니다. 〈샘〉은 아름다움을 표현하는 일과는 거리가 멉니다. 따라서 이 정의는 분명히 예술작품인 것을 누락한다는 점에서 실패한 정의입니다. 한편, 어떤 자동차 디자이너가 새로운 자동차의 디자인을 고안하면서 아름다움을 표현하는 데 일차적인 관심을 두었다고 하죠. 그렇다고 해서 이 자동차가 예술작품이 됩니까? 그렇지 않습니다. 자동차는 아무리 아름답더라도 공산품이지 예술작품이 아닙니다. 따라서 이 정의는 반대로 예술작품이 아닌 것을 포함한다는 점에서 실패한 정의입니다.

이와 같은 사례를 통해, '예술'을 정의하는 것이 대단히 곤란하다는 점을 알 수 있습니다. 예술에는 시, 회화, 조각, 무용, 연극 등의 전통적 장르뿐 아니라 레디메이드, 퍼포먼스, 비디오 아트 등 새로운 장르도 속하기 때문에, 이것들을 한데 묶는 정의를 찾기는 난관인 듯합

11 익히 아시다시피 뒤샹의 〈샘〉은 남자용 소변기를 눕혀놓은 작품입니다. 뒤샹이 직접 제작한 것도 아니고, 별다른 지각적 아름다움이 깃든 것도 아닙니다.

니다. 하지만 예술을 정의하긴 해야 하니, 이 장에서 예술에 대한 전통적 정의 세 개를 살펴보겠습니다.

첫 번째 시도는 역사가 매우 깁니다. 플라톤으로 대변되는 철학자들은 어떤 사물이 예술작품이려면 무언가를 모방한 것이어야만 한다고 주장합니다. 일례로 포도를 그린 정물화는 포도를 모방한 것이고, 플룻의 경쾌한 연주는 종달새 소리를 모방한 것이라는 식입니다. 이를 예술 모방론이라고 합니다.

플라톤 당대의 예술은 그리 다종다양하지 않았기에 예술 모방론은 당대의 예술에 대해서는 설득력 있는 이론이었을지 몰라도, 지금은 그리 유효하지 않다는 점을 충분히 예상할 수 있을 것입니다. 뒤샹의 〈샘〉은 아무것도 모방하지 않습니다. 추상화도 무언가를 모방한다고 보기는 어렵고요. 교향곡 역시 무언가를 모방하지는 않는 듯합니다. 모방 개념을 활용한 정의는 분명히 예술작품인 것을 누락합니다.

둘째 시도는 감정의 표현에 초점을 맞춥니다. 예술가는 자신이 느낀 감정들, 예컨대 좌절, 슬픔, 환희, 불안, 희망 등을 작품으로 표현할 수 있습니다. 에드바르트 뭉

크의 〈절규〉는 작가 자신이 느낀 좌절이나 공포가 회화로 표현된 것일 터이고, 이와 같은 부류의 예술작품을 설명하는 데 표현이라는 도구는 유망한 선택지 같습니다. 이를 예술 표현론이라고 합니다.

하지만 예술 표현론은 빈틈이 너무 많습니다. 첫째, 분노를 표현하는 작품을 만든 예술가가 정말로 분노에 사로잡혀 있었을까요? 그렇지 않았을 수 있습니다. 다음 달 5일에 카드 값을 내야 해서 초조해하고 있었을 수도, 이따 저녁에 연인과 만날 생각에 들떠 있었을 수도, 아니면 별다른 감정 상태에 빠져 있지 않았을 수도 있습니다. 둘째, 예술 표현론은 예술가가 자신만의 고유한 감정을 표현한다고 하는데 이는 너무 강한 주장입니다. 분노를 표현하는 작품이 100명의 예술가에 의해 100점 제작되었다면, 이들 예술작품이 표현하는 분노는 제각기 조금씩 달라 분노1부터 분노100까지 있다는 말인데요, 이렇게 분노가 다양하다는 것을 이해하기는 힘듭니다. 그렇게 다양한 분노가 감상자에게 성공적으로 전달되는지도 의문이고요. 셋째, 감정을 표현하지 않는 예술작품이 너무나 많습니다. 뒤샹의 〈샘〉을 포함하여, 실험적인 안무 작업, 개념미술 등은 예술가의 감정과는 무관한 듯합니다.

이제 셋째 시도를 볼 차례입니다. 말 그대로 형식의 측면에서 예술을 정의하는 입장입니다. 피에트 몬드리안의 〈브로드웨이 부기우기〉라는 작품을 아실 것입니다. 수직선과 수평선 및 그런 선의 교차점으로 이루어진 그림으로, 설령 브로드웨이의 풍경에서 모티브를 얻었더라도 브로드웨이의 풍경화라고 보기는 어려운 작품입니다. 이 그림은 브로드웨이의 풍경을 사실적으로 묘사했기 때문이 아니라 선과 색채를 성공적으로 결합했기에 예술작품입니다. 유의미한significant 형식을 가졌다는 점에서 이 인공물은 예술작품으로 성립합니다. 이를 예술 형식론이라고 합니다.

물론 예술 형식론에도 문제가 있습니다. 노을을 떠올려보세요. 노을을 바라보면, 사람이 의도를 가지고 만든 것이 아님에도 그 색채와 배열 등에서 아름다움을 느낄 수 있습니다. 이를 '노을에 유의미한 형식이 있다'는 식으로 말할 수 있습니다. 그렇다면 노을이 예술작품으로 성립할까요? 그렇지 않습니다. 예술작품은 누군가가 만든 인공물이어야 한다는 것이 우리의 상식입니다. 더 나아가, 유의미한 형식을 가지지 않은 예술작품도 많습니다. 뒤샹이 선택한 남성용 소변기에 유의미한 형식이 있다고 보기는 어렵습니다.

예술작품은 너무나 다종다양하여 하나로 묶기가 참으로 어렵습니다. 설사 지금 이 시점에서 의미를 고정하여 예술작품이 무엇인지를 정의하는 데 성공했다고 해도 별다른 소용이 없습니다. 예술작품은 본성상 늘 새로워야 하기에 이 정의에 담기지 않는 예술작품이 등장하는 것은 시간문제니까요. 그렇다고 '예술'의 정의를 내리는 일을 포기해야 할까요? 그러면 우리는 '예술'이라는 단어의 의미를 정확하게 모르면서 대충 쓰는 셈이 됩니다. 이래도 문제이고, 저래도 문제입니다.

번역어에 대한 비판과 제안

예술 형식론에 따르면 예술작품이란 'significant form'을 가진 인공물입니다. 종전의 한국어 문헌에서 'significant form'은 대개 '유의미한 형식'으로 번역되었습니다. 그런데 '유의미한'이라는 말 자체가 한국어로든 영어로든 애매합니다. 다시 말해, 두 개 이상의 의미가 있는데 그중 무엇인지가 분명하지 않습니다. 예문을 보죠.

1) '사과'는 유의미한 단어이다.

2) 이 연구는 유의미한 성과를 낳았다.

1)의 '유의미한'은 '의미가 있는meaningful'을 의미합니다. '사과' 같은 단어나 '사과는 맛있다' 같은 문장은 어떠한 의미가 있으며, 우리는 이 의미를 바탕으로 의사소통합니다. 2)의 '유의미한'은 '의미가 있는'이라기보다는 '영향력을 미친', '변화를 일으킨' 등에 가깝습니다. '의미', '유의미', '무의미' 등의 표현은 두 가지 방식 모두로 쓰이며, 이 점에서 '유의미한' 같은 표현은 적어도 철학 텍스트에서는 전자의 경우로만 써야 한다고 봅니다.

형식 이야기로 돌아오겠습니다. 몬드리안의 〈브로드웨이 부기우기〉는 'significant'한 형식을 가졌기에 예술작품입니다. 그런데 '어떠한 형식이 유의미하다'는 것이 잘 이해가 되지 않습니다. 〈브로드웨이 부기우기〉의 형식은 수평선과 수직선 및 그런 선의 교차점이 몬드리안 고유의 방식으로 어우러진 것입니다. 이 형식이 '사과' 같은 단어나 '사과는 맛있다'와 같은 방식으로 유의미합니까? 그렇지 않습니다. 형식은 단어나 문장이 아니기에 그와 같은 방식으로 유의미할 수 없습니다. 그렇다면 이 형식이 '영향력을 미친', '변화를 일으킨'과 같은 방식으로 유의미합니까? 그렇지 않습니다. 〈브로드웨이 부기우기〉의 형식은 이후의 회화에 영향력을 미치지 않았다 하더라도 그 자체로 충분히 'significant'합니다.

그렇다면 도대체 'significant'한 형식이란 무슨 의미일까요? 저는 여기서 '유의미한'이 아닌, 'significant'의 다른 의미를 제안하고자 합니다. 이를테면 'a significant increase in sales'는 한국어로 '판매가 상당히 늘었음'으로 번역됩니다. 여기서 'significant'는 '상당한'으로 번역되며, 이때의 '상당한'은 '주목할 만한'의 유의어입니다. 이와 마찬가지로 형식이 'significant'하다는 것은 그 형식이 '훌륭하다', '탁월하다', '주목할 만하다'라는 뜻입니다. 무언가가 'significant'하다는 것은 특정 측면에서 어떠한 수준을 넘어섰다는 의미입니다. 〈브로드웨이 부기우기〉는 그 형식이 훌륭하고, 탁월하며, 주목할 만한 것이기에 예술작품일 수 있습니다.

저는 이렇게 제안합니다.

- **예술 형식론에 따르면, 한 대상은 그것이 주목할 만한significant 형식을 갖추었기에 예술작품이다.**

김은정의 반론

예술 형식론에 따르면 어떤 예술작품의 형식, 즉 선과 색채의 결합이 중요한 이유는 감상자에게 미적 감정aesthetic emotion을 불러일으키는 예술의 본질이 그 형식에 있기 때문입니다. 그러므로 감상자에게 미적 감정을 촉발하는 형식이 'significant'한 형식으로서, 모든 예술작품은 이 형식을 공통 특성으로서 공유하지요. 그렇다면 'significant'는 예술의 다른 요소가 아닌 형식이야말로 해당 작품에 예술이라는 의미를 부여하는 요소라는 점에서 '유의미하다'고, 즉 '예술이라는 의미를 지닌다'고 말할 수 있지 않을까요?

그리고 이 이론에서 'significant form'이 모든 예술작품의 공통 특성이기에 이를 갖춘 작품은 감상자로 하여금 예술적 경험을 하게 한다고 주장하는 점을 고려할 때,

'주목할 만한 형식'이라는 번역은 그 형식의 가치가 거꾸로 감상자에게 달려 있다는 느낌을 준다는 점에서 재고할 여지가 있습니다.

이승택의 반론

'significant'의 두 가지 의미, 즉 '유의미하다meaningful'와 '주목할 만하다noteworthy'를 구별하고 맥락에 맞게 번역어를 정확히 선택해야 한다는 의견에 동의합니다. 그리고 예술 형식론을 논하는 이 맥락에서 'significant'는 그저 소리나 글자가 어떤 정보를 전달하기 때문에 'significant'하다고 말하는 맥락에서 그것이 뜻하는 바와 분명히 구별되어야 할 것입니다. 즉 이 맥락에서 'significant'가 'meaningful'을 뜻하지 않는다는 점은 명백합니다.

그런데 저는 'significant form'의 'significant'가 이 말의 또 다른 의미, 즉 '중요하다important' 내지 '가치 있다valuable'를 뜻하지 않는지 생각하게 됩니다. '주목할 만하다'라는 말에는 예술작품을 감상하는 사람의 가치관, 생각, 감정 등이 필수적으로 연관돼 있다는 느낌이 있는 반면, '중요하다'라는 말에는 그와 별개로 해당 예술작품의 객관적이고 내재적인 가치를 중심에 두는 느낌이 있기 때문입니다. 말하자면 전자의 번역어를 택하면 예술 형식론이 예술작품의 내재적 가치보다는 감상자에게 일으키는 효과에 집중하여 예술을 정의하려는 입장으로 보일 위험이 있을 듯한데, 예술 형식론의 모든 지지자가 이러한 귀결을 달갑게 받아들일지가 의문입니다. 이와 별개로, 'significant'를 '주목할 만하다'로 번역한다면, 그것의 명사형 'significance'를 '주목할 만함'으로 번역해야 할 텐데, 이 점도 다소 불만족스러울 수 있겠다는 생각이 듭니다.

김은정의 반론에 대한 응답

예술작품의 형식이 'significant'하다는 것은 어떤 사물이 그것의 형식으로 말미암아 예술이라는 '의미를 지닌다'는 뜻이 아니라 분류적 의미의 예술에 속하게 된다는 것입니다. 초기의 예술 형식론에 대한 비판 중 하나를 참고하면 좋은데요, 그 비판이란 예술 형식론이 형편없는bad 예술을 예술의 목록에서 배제한다는 것입니다. 'significant'한 형식을 갖춘 인공물이 예술일 수 있다는 말은, 그런 수준에 미달하는, 즉 'significant'하지 못한 형식을 갖춘 인공물이 예술일 수 없음을 함축합니다. 실상은 물론 그렇지 않지요. 그리 훌륭하지도, 탁월하지도, 주목할 만하지도 않지만, 예술인 것이—예술적으로는 형편없다 해도—존재합니다. 이와 같은 비판을 보더라도 예술 형식론에서 말하는 'significant'가 'excellent'나 'noteworthy'와 비슷한 의미임을 알 수 있습니다.

두 번째 반론에 대해서는 이승택 님의 반론과 묶어서 말씀드리겠습니다.

이승택의 반론에 대한 응답

김은정 님과 같은 반론을 해주셨습니다. '주목할 만하다'라는 표현에 감상자의 주관적 요소가 담겨 있다는 비판은 받아들이기 힘듭니다. 예컨대 이번에 김 대리가 큰 성과를 내어 주목할 만한significant 인물이 되었다고 하지요. 이때 김 대리의 'significance'가 김 대리가 아닌 다른 사람의 주관적 요소에 의거하는 것 같지는 않습니다. 김 대리의 'significance'는 스스로 이룬 성취에 달려 있으며, 이 성취는 그에게 속하는 일종의 객관적 성질입니다. 요컨대, 무언가에 대한 '주목할 만함'이 그 대상의 외적 속성에 의거한 것일 필요는 없습니다.

'주목할 만한'의 명사형이 '주목할 만함'이라서 어색하다는 비판은 수용합니다. 그러나 저는 이러한 표현이 철학 개념으로 성립하는 데 별다른 문제가 없다고 생각합니다. 혹시 명사형의 어색함 때문에 '주목할 만한'을 다른 표현으로 바꾸어야 한다면, '중요한'보다는 '탁월한'이나 '훌륭한'이 낫겠습니다. 특히 '탁월한'은 '탁월성'이라는 한자어 명사로 매끄럽게 바뀐다는 점에서 매력적인 선택지입니다.

최종 번역어 제안

- significant form: 유의미한 형식→ 탁월한 형식

6 한 단어를 여러 철학자가 다르게 쓸 때 : transcendental

개념 설명

여러분이 이 글을 읽는 이유는 무언가를 알기 위해서입니다. 전통 철학자들도 알고 싶어한 것이 많았습니다. 대표적인 몇 가지를 들어보겠습니다.

1) 영혼은 불멸하는가, 아니면 소멸하는가?

2) 세계는 유한한가, 아니면 무한한가?

3) 우리의 행위는 자유의지에 의한 것인가, 아니면 어떤 법칙에 의해 결정되는가?

어떤 철학자는 영혼이 불멸한다고 주장하였는데요, 이를 논변의 형태로 정리하면 이렇습니다.

소멸이란 전체가 부분으로 해체되는 것이다.

단순한 것은 그 정의상 부분이 없으므로 소멸할 수 없다.

영혼은 단순하다. 즉 부분이 없다.

그러므로 영혼은 소멸하지 않는다. 즉 불멸한다.

칸트 이전의 철학자들은 이러한 방식의 논변을 자주 전개했습니다. 논변에 대해서는 1장에서 공부한 바 있는데요, 제대로 된 논변은 유효성〔타당성〕과 견실성〔건전성〕이라는 두 가지 속성을 충족해야만 성립할 수 있습니다. 위의 논변이 유효하고 견실한지를 검토해볼까요? 먼저 이 논변은 유효합니다. 전제에서 결론이 필연적으로 따라 나오기 때문입니다. 그러나 견실성에는 의심의 여지가 있습니다. 전제가 참인지가 확실하지 않기 때문입니다. 이를테면 세 개의 전제 중 '영혼은 단순하다. 즉 부분이 없다'가 참인지 거짓인지를 누가 알 수 있겠습니까?

칸트는 이와 같은 논변 내지 추론 방식에 의구심을 가졌습니다. 물론 추론 자체는 인간 고유의 지적 활동으로, 거기에는 아무런 문제가 없습니다. 제가 아는 한, 자신의 주장을 전제의 뒷받침을 받는 결론의 형태로 내놓는 존재자는 인간밖에 없습니다. 인간은 이성적 존재자라는 말을 흔히 하잖아요? 이성reason은, 이유reason를 대고 이유에서 결론을 도출하는 추론reasoning을 행하는 능력입니다. 그런데 추론 과정은 점점 더 상위의 이유를 드는 경향이 있습니다. '소크라테스가 죽는다고 한다. 정말? 인간이 죽거든. 정말? 동물이 죽거든. 정말? 생명체는 죽거든.' 이런 식으로 추론은 추론의 전제가 참임을 보이고자 그 전제를 결론으로 삼는 또 다른 전제를 끌어올 수밖에 없습니다. 이러다 보면 우리는 경험의 한계를 넘어가게 되어 참과 거짓을 입증하지는 못하고 고집만 할 수 있는 영역에 들어서게 됩니다.

이렇게 경험의 영역 바깥에 있는 대전제에서 출발하려는 이성을, 곧 경험과 무관하게 활동하려는 이성을 칸트는 '순수 이성pure reason'이라고 부릅니다. 여기서 순수는 '오염되지 않음'이라는 일반적 의미와 다릅니다. '경험과 무관한' 내지 '경험 독립적인'이라는 뜻이며, 따라서 '순수 이성'은 '경험 독립적 이성'을 의미합니다. 이성이 경험에서 독립적이라는 말은, 이성이 경험 없이 자기 힘으로만 추론한다는 칭찬이 아니라, 경험을 떠나 있어 실제 세계에 대응하는지를 기준으로 참과 거짓을 가릴 수 없는 전제를 추론에 들여온다는 비판입니다. 영혼, 세계, 신처럼 경험 불가능한 것을 다루려는 형이상학적 탐구처럼 말입니다.

이 바람에 형이상학은—칸트의 표현을 빌리자면—'싸움터'가 되었고, 이 싸움이 끝날 전망은 보이지 않습니다. 그래서 칸트는 이 싸움을 완전히 끝낼 방책을 마련하는데요, 그것이 바로 '나는 무엇을 알 수 있는가?'라는 물음입니다. '나는 무엇을 알 수 있는가?'에 답하려면 '나는 어떻게 아는가?'라는 물음을 던질 수밖에 없고, 재차 이 물음은 '내가 무언가를 아는 데 요구되는 조건은 무엇인가?'로 바뀌며, 이 마지막 물음에 대한 답변에 기대면 전통 형이상학자들의 논의 영역을 상당히 제한할 수 있기 때문입니다.

이제 칸트가 말하는 지식의 성립 조건을 말해보겠습니다. 일례로 카펫 위에 고양이가 있는 것을 우리가 안다고 하죠. 그렇다면 우선 어떤 조건이 충족되어야 할까요? 나 자신의 외부에 카펫과 고양이가 있어야 하고, 카펫 위에 있는 고양이를 바라보는 눈이 내게 있어야 합니다. 즉 '사물'과 '감각기관'이 필요합니다. 이를 '사물과 감각기관은 지식이 성립하는 데 요구되는 조건이다'로 바꾸어 표현할 수 있습니다.

그런데 우리 눈은 고양이를 절대 한 번에, 통째로 바라보지 않습니다. 의식하지 못한 상태에서 빠르게 이루어져 느끼지 못할 뿐 사실은 고양이를 수십 번 바라보면서 부분 부분에 대한 시각 데이터를 만들고, 이 데이터를 머릿속에서 합쳐 고양이 전체의 상을 만들지요. 이렇게 합치려면 눈에서 만들어진 시각 데이터가 머릿속으로 들어가서 결합되어야 하는데 이때 데이터를 수용하는 능력을 감성sensibility, 결합하는 능력을 지성understanding이라고 합니다. 즉 '감성'과 '지성'이 추가로 필요합니다. 다른 조건도 여럿 있지만, 이러한 방식으로 지식의 성립 조건을 밝히는 것이 칸트의 방법론입니다.

칸트는 우리의 머릿속을 간접적인 방식으로 들여다보고자 합니다. 지식이 성립하는 것은 수학과 물리학 등을 통해 확인할 수 있으니, 이렇게 성립된 지식의 조건을 거꾸로 추적하여 살피는 것이지요. 이렇게 우리가 지식을 획득하는 방법과 조건을 탐구하는 철학을 'transcendental' 철학이라고 합니다. 'transcendental'은 칸트 철학의 핵심 개념이며, 일반적으로 '선험'이나 '초월'로 번역합니다. 번역어가 무엇이든 '인식 가능성의 조건을 묻는다'는 의미입니다.

이처럼 인식 가능성의 조건을 묻는 탐구 방법을 '선험적/초월적' 방법이라고 일컫기에, 칸트는 자신의 철학 또한 '선험/초월 철학'이라고 부릅니다. 선험/초월 철학의 목표 중 하나는 경험 너머에 있는 영혼, 세계, 신을 대상으로 삼는 전통 형이상학이 학문으로 성립할 수 없다는 점을 입증하는 데 있습니다. 칸트가 보기에 전통 형이상학은 우리가 감각할 수 없는, 그리하여 알 수 없는 대상에 대한 지식을 주장한다는 점에서 학문이 되기에는 곤란합니다. 전통 형이상학은 지식이 성립할 수 없는 영역의 대상에 대한 명제를 내놓는데 이러한 명제는 애초에 지식 성립의 첫째 문턱도 넘지 못하지요. 이제 학문의 영역에서 추방될 때가 되었습니다.

흥미롭게도 이 모든 탐구를 수행하는 것은 순수 이성입니다. 비판의 주체도 순수 이성이고, 비판의 대상도 순수 이성이라는 점에서, '나는 무엇을 알 수 있는가?'라는 물음에 답하고자 했던 『순수이성비판』은 "순수 이성의 자기 인식"으로 귀결됩니다.

번역어에 대한 비판과 제안

칸트 철학의 핵심 개념인 'transcendental'에 대한 번역어는 여럿 있습니다. 앞서 말씀드렸듯이 '선험적'과 '초월적'이 많이 쓰입니다. '선험적'은 가장 오랜 번역어이며, 한동안 사용 빈도가 줄었다가 칸트학회의 제안으로 다시 'transcendental'의 번역어로 채택되었습니다. '초월적'은 혼자서 칸트 원전의 상당 부분을 한국어로 번역한 백종현의 제안입니다. 이외에도 '선가험적', '전험적', '정험적' 등의 번역어가 제안된 바 있습니다.

이렇게 번역어가 다양한 것은 이들 번역어를 제안한 칸트 전공자들이 칸트 철학을 서로 달리 이해해서가 아닙니다. 칸트 철학에서 'transcendental'이 뜻하는 바는 칸트 자신이 명료하게 규정했으며, 모든 전공자가 이렇게 규정된 내용을 공유합니다. 다만 이렇게 공유하는 내용을 한국어로 표현하는 데 어떤 번역어가 적합한지를 두고 논쟁이 벌어지는 것입니다.

저는 조금 다른 관점에서 논의를 진행하고자 합니다. 칸트의 동시대인이 해당 단어를 어떻게 이해했는지를 살펴보는 데서 단서를 얻고자 합니다. 당시에 벌어진 오해를 대화로 재구성해보았습니다. (칸트 당대까지 'transcendental'이 '초월적'을 뜻하는 'transcendent'와 동의어로 쓰였음을 감안해주세요. 두 단어를 구별해서 쓴 것이 칸트의 독특한 선택입니다.)

A: 칸트가 이번에 낸 『순수이성비판』 읽어봤어?

B: 조금 읽기는 했는데… 자기 철학을 'transcendental'이라고 하더라고.

A: 'transcendental' 철학? 무엇을 넘어선다는 거야? 신을 다룬대?

B: 아니! 나도 처음에 그런 줄 알았는데 아니더라고. 인식 가능성의 조건을 묻는대.

구어의 형태로 허구적인 대화를 만들어봤습니다만, 이러한 오해에 칸트가 대응했다는 기록이 있습니다. 여기서 우리는 당시의 독일 철학계에서 'transcendental'이 '초월적'이라는 뜻으로 쓰였음을 알 수 있습니다. 다만 칸트가 말하는 '초월'은 우리가 인식할 수 있는 영역 밖을 지향하는 '너머'가 아닙니다. 역설적이지만 우리의 한계를 알고 그 한계 안으로 되돌아오는 '너머'입니다. 머릿속에서 벌어지는 일들을 하나씩 파악하고 그것을 가능하게 하는 조건들을 찾아 나가는 것이 칸트의 초월적 방법입니다. 당시 'transcendental'은 'transcendent'과 마찬가지로 '초월적'이었고, 다만 칸트가 'transcendental'을—나쁘게 말하자면—자기 마음대로 쓴 것입니다.

물론 '초월적'이라는 표현이 칸트 철학의 핵심을 잘 담는 번역어인지를 둘러싼 논쟁이 있을 수 있습니다. 그런데 이런 상상을 한번 해보시겠어요? 10년 뒤에 어떤 철학자가 'transcendental'을 칸트만큼이나 독창적인 방식으로 사용하여 고유의 의미를 부여하고, 그로부터 10년 뒤에 다른 철학자가 같은 일을 하고, 또 그로부터 10년 뒤에 똑같은 일이 벌어진다고 해보지요. 이때 한국 철학계에는 두 가지 선택지가 주어집니다.

1) 'transcendental'을 '선험적'이나 '선가험적' 등으로 번역했듯이, 각 철학자가 사용하는 'transcendental'을 고유의 방식으로 해석하여 그때마다 적절한 번역어를 제시한다.

2) 'transcendental'을 현재와 마찬가지로 '초월적'으로 번역하되, '초월적'의 내포intension를 하나씩 추가한다.[12]

저는 2)가 올바른 선택지라고 생각합니다. 'transcendental'의 번역어를 '초월적'으로 고정한 뒤, '초월적'을 A라는 철학자는 이렇게 쓰고, B라는 철학자는 저렇게 쓴다는 식으로 해당 개념의 내포를 추가하는 것을 제안합니다. (사실 이것이 철학 사전의 일입니다.) 그때마다 어색한 한국어 번역어를 조어로 만들 필요도, 만들 수도 없습니다.

물론 조어를 만들 필요가 있고, 만들 수도 있다고 생각하는 연구자가 있을 것입니다. 그에게 하나 반문하고자 합니다. '범주'로 번역되는 'category'는 아리스토텔레스 철학에서는 '가장 일반적인 술어'이고, 칸트 철학에서는 '지성의 순수 형식'입니다. 다시 말해, 아리스토텔레스 철학과 칸트 철학에서 'category'는 내포는 물론이고 외연의 측면에서도 다릅니다. 이렇게 외연마저 다르다면 두 철학자에게서 'category'를 다른 방식으로 번역해야

12 예컨대 제가 "김희애가 누구야?"라고 묻는다면 여러분은 "〈윤희에게〉의 주연배우이자 〈아들과 딸〉에서 딸 역할을 맡은 배우"라고 말할 것입니다. 이것이 '김희애'라는 이름의 내포intension입니다. 그런데 여러 배우가 함께 있을 때 제가 "김희애가 누구야?"라고 묻는다면 여러분은 이를테면 "저쪽 두 번째 문 앞, 흰색 드레스를 입고 있는 저 사람"이라고 말하면서 그 사람을 손가락으로 지목할 것입니다. 이것이 '김희애'라는 이름의 외연extension입니다. 다시 말해, 내포는 단어가 담고 있는 뜻이고, 외연은 단어가 지시하거나 적용되는 대상입니다.

하지 않을까요? 'transcendental'의 의미가 바뀔 때마다 '선험적'이나 '선가험적' 같은 새로운 번역어를 만들어야 한다면, 'category' 역시 아리스토텔레스 철학과 칸트 철학에서 의미가 전혀 다르니 새로운 번역어를 각기 만들어야 하지 않나요?

하지만 우리는 그렇게 하지 않습니다. 'category'는 '범주'이고, '범주'라는 개념의 내포를 추가하여 사용하고 있지요. 이와 같은 방식으로 생각하면 'transcendental'은 그냥 '초월적'으로 번역하는 것이 맞습니다. 하지만 '존재 양상이 다른'을 의미하는 'transcendent' 역시 한국어로 '초월적'이기 때문에, 혼동을 피하고자 '-론'을 추가하여 'transcendental'을 '초월론적'으로 번역하자는 것이 저의 최종 제안입니다.

저는 이렇게 제안합니다.

- **칸트 철학은 인식 가능성의 조건을 묻는 초월론적**transcendental **방법을 활용한다.**

김은정의 반론

제안하신 바에 동의합니다.

이승택의 반론

제안하신 바에 동의합니다.

최종 번역어 제안

- transcendental: 선험적/초월적→ 초월론적

7 현실적인 것의 반대말은?
: potentiality/actuality

개념 설명

세계를 바라보다가 놀라운 점이 생기면 우리는 세계에 대해 궁금해하기 시작합니다. 그것이 지적인 탐구를 시작하는 동기가 되지요. 철학자들을 사로잡은 오랜 놀라움 중 하나는 존재자들이 특정한 방식으로 묶인다는 데 있습니다. 예를 들어 소크라테스, 마리 퀴리, 책상 하나, 의자 하나 이렇게 네 존재자가 있습니다. 여러분은 이 네 존재자를 어떻게 분류하겠습니까? 아마 대부분은 소크라테스와 퀴리를 인간으로, 책상과 의자를 인공물로 묶겠지요. 어떤 이가 소크라테스와 책상을, 퀴리와 의자를 묶는다면 우리는 이유를 물을 텐데, 그리 설득력 있는 답이 제시될 듯하지는 않습니다.

복수의 존재자가 하나의 범주로 묶일 수 있는 것은

공통점이 있기 때문입니다. 소크라테스와 퀴리는 인간이라는 것이, 책상과 의자는 인공물이라는 것이 공통점입니다. 수많은 개별 메뚜기가 어떻게 하여 모두 메뚜기로 분류될 수 있겠습니까? 공통된 무언가가 존재하기 때문입니다. 이러한 공통 속성을 플라톤은 대문자로 시작하는 'Form'이라고 불렀습니다. 한국어로는 '형상'이라고 번역하지요. 플라톤식으로 말하자면 소크라테스와 퀴리는 인간의 형상에 참여함으로써 인간으로 존재하고, 책상과 의자는 인공물의 형상에 참여함으로써 인공물로 존재합니다.

소크라테스와 퀴리 같은 구체적 존재자만 분류되는 것은 아닙니다. 행위도 분류됩니다. 행위를 도덕적인 것과 비도덕적인 것으로 분류해볼까요? 이를테면 자선을 베푸는 일은 도덕적입니다. 플라톤은 이를 자선을 베푸는 개별 활동이 도덕의 형상에 참여한다는 식으로 설명합니다. 도덕적인 수많은 행위는 모두 도덕의 형상에 참여하여 도덕적인 것이 되었습니다.

그런데 여기서 문제가 발생합니다. 복수의 판단자가 같은 행위를 두고 다른 판단을 내릴 수 있습니다.

A: 그 도둑을 주먹으로 그렇게 때린 것은 정당하다.

B: 그 도둑을 주먹으로 그렇게 때린 것은 정당하지 않다.

집에 들어온 도둑을 주먹으로 때려서 잡은 사람이 있다고 하죠. 같은 폭행을 두고 A는 정당하다 하고, B는 정당하지 않다고 합니다. 플라톤식으로 말하자면 같은 주먹질을 두고서 A는 그것이 정당함의 형상에 참여한다고, B는 그것이 정당함의 형상에 참여하지 않는다고 말하는 셈입니다.

플라톤은 이와 같은 불일치disagreement의 상황을 받아들이지 않습니다. 정당한 행위와 정당하지 않은 행위는 인간과 인공물을 나누듯 깔끔하게, 누구도 반박하지 못할 정도로 예리하게 분류되어야만 합니다. 이렇듯 존재자를 분류하는 데, 다른 표현을 쓰자면 세계를 구획하는 데 주관적 요소가 개입해서는 곤란하기에 플라톤은 형상을 인간의 손이 닿을 수 없는 초월적인 영역에 데려다 놓습니다. 여러분과 저를 공히 인간으로 만드는 인간의 형상은 시공간을 차지하지 않는 모종의 방식으로 존재합니다. 뜨거운 커피와 뜨거운 설렁탕을 공히 뜨겁게 만드는 뜨거움의 형상도, 차가운 커피와 차가운 설렁탕을 공히 차갑게 만드는 차가움의 형상도 마찬가지입니다. 존재자를 분류하는 방식은 초월적인 형상에 의해 이미 결정되어 있습니다.

형상이라는 독특한 존재자를 통해 플라톤은 세계 속에서 이루어지는 분류와 분할의 객관성을 확보하고자 했습니다. 형상이라는 것이 도대체 무엇인지, 어떻게 이토록 다양한 기능을 하는지, 형상에 대한 지식을 누가 어떻게 확보할 수 있는지 등을 둘러싼 다양한 문제가 발생합니다만, 플라톤은 이러한 난점을 감안하더라도 이 세계 너머 어딘가에 있는 형상이 우리가 사는 세계에 영향을 미치면서 다양한 기능을 수행한다고 상정하는 것이 바람직하다고 생각합니다. '정당하다' 같은 단어의 의미를 우리 모두 공유할 수 있는 것으로 간주하자고 요청한다는 점에서 의사소통의 근간이 되기도 하니 이러한 시도 자체는 존중할 만합니다.

그런데 문제가 하나 있습니다. 형상이 있는 초월적 영역과 사물이 있는 감각적 영역은 근본적인 차이가 있습니다. 그곳에서는 시간이 흐르지 않고 변화가 없지만, 이곳에서는 시간이 흐르고 변화가 있습니다. 일례로 설렁탕은 차가웠다가, 뜨거워지고, 다시 차가워집니다. 하지만 차가움의 형상은 차갑기만 하고, 뜨거움의 형상은 뜨겁기만 하지요. 차갑기만 한 차가움의 형상에 의해 차가웠던 설렁탕이 어떻게 하여 뜨거워지는지, 즉 뜨겁기만 한 뜨거움의 형상에 의해 어떻게 뜨거워지는지를 설명하는 일은 쉽지 않습니다.

변화하는 세계의 구획을 불변하는 존재자를 통해 규정하려고 했던 플라톤은 자기 이론의 한계를 잘 알아, 이에 대한 해결책을 후기 저작에서 내놓았습니다. 하지만 내용이 너무 복잡하여 여기에서 다루기는 곤란하니, 이 장에서 다룰 번역어 이야기도 할 겸, 아리스토텔레스의 해결책을 알아보겠습니다.

아리스토텔레스도 형상을 빌려 세계를 설명합니다. 다만 형상을 플라톤과 달리 초월적인 것으로 간주하지 않습니다. 그래서 아리스토텔레스가 말하는 형상은 소문자로 시작하는 'form'으로 쓰기도 합니다. 형상은 이 세계의 존재자 속에 있습니다. 개별 인간들이 다 소멸해도 인간의 형상은 어딘가에서 계속 존재한다는 것이 플라톤의 입장이라면, 개별 인간들이 다 소멸하면 인간의 형상도 거주지를 잃는다는 것이 아리스토텔레스의 입장입니다. 아리스토텔레스가 이와 같은 내재적 보편자에 해당하는 형상을 가지고 변화를 어떻게 설명했는지를 보겠습니다.

아리스토텔레스는 도토리와 도토리나무를 가져옵니다. 도토리와 도토리나무는 다릅니다. 예컨대 도토리는 도토리나무와 달리 땅에 박혀 있지 않고 나뭇잎도 없지요. 하지만 도토리가 성장하면 도토리나무가 된다는 점에서 둘 사이에는 어떠한 연속성이 있습니다. 아리스토텔레스는 '잠재성'과 '현실성'이라는 개념을 가지고 이 차이와 연속성을 설명합니다. '잠재성potentiality'에 해당하는 그리스어는 '뒤나미스dunamis'입니다. 이는 '역학'으로 번역되는 'dynamics'의 어원이기도 한데 이때 'dunamis'는 '힘' 내지 '능력'을 뜻합니다. '현실성actuality'에 해당하는 그리스어 단어는 '엔텔레케이아entelecheia'나 '에네르게이아energeia'입니다. 무언가가 '완결되고 완성되었음'을 뜻합니다.

이 두 개념을 도토리와 도토리나무에 적용하기는 매우 쉽습니다. 도토리에는 도토리나무가 될 잠재성이 있으며, 이 잠재성이 현실화되면, 즉 잠재성이 실현되면 도토리는 도토리나무가 됩니다. 이외의 다른 변화도 잠재성과 현실성 개념으로 설명할 수 있습니다. 아리스토텔레스에 따르면 변화에는 크게 네 가지 종류가 있습니다.

장소 이동: 나는 청주에 있다가 지금은 강릉에 있다.

양적 증감: 나는 키가 165센티미터였다가 지금은 170센티미터이다.

질적 변이: 나는 맥주를 마시고 얼굴이 빨개졌다.

생성 소멸: 나는 어느 순간 태어났고, 어느 순간 소멸한다.

어떤 변화이든 간에 아리스토텔레스가 설명하는 방식은 동일합니다. 장소 이동도 잠재성과 현실성 개념으로 설명할 수 있습니다. 지금 나는 청주에 있습니다. 하지만 강릉에 있을 잠재성도 있으며, 이동을 통해 실제로 강릉에 가면 그 잠재성이 실현되는 것입니다. 장소 이동이라는 변화는 이렇게 설명됩니다. 이 장소 이동을 형상 개념을 통해 설명하면 이렇습니다. 나에게는 '청주에 있음' 형상이 있었습니다. 하지만 장소 이동을 통해 '청주에 있음' 형상이 아닌 '강릉에 있음' 형상이 나에게 속하는 변화가 일어난 것이지요. 이처럼 나에게 속하는 형상이 바뀌는 방식으로 이 감각 세계에서 일어나는 변화를 설명할 수 있다는 것이 아리스토텔레스의 제안입니다.

저는 변화를 이렇게 설명하는 방식에 설득력이 있다고 생각하지 않습니다. 그러나 아리스토텔레스가 하려고 했던 일이 무엇인지를 이해하는 것은 대단히 중요합니다. 그는 플라톤이 제안한 형상 개념 자체는 받아들입니다. 즉 세계를 분할하는 자연적이고 객관적인 방식이 이미 확립되어 있다는 입장은 받아들입니다. 그러면서도 이 세계의 변화를 설명하려고 했다는 점이 아리스토텔레스의 시도에 담긴 의의이겠습니다.

번역어에 대한 비판과 제안

앞서 말씀드렸듯이 'potentiality'는 그리스어 'dunamis'를 번역한 것입니다. 힘 내지 능력은 이 힘을 바탕으로 무언가를 할 수 있음을 의미하는데요, '할 수 있다'는 말이 그 무언가를 '했음' 혹은 '하고 있음'을 함축하지는 않습니다. 예컨대 어떤 사람이 글을 읽을 수 있는 'dunamis'를 가지고 있다는 것은, 그가 지금은 글을 읽고 있지 않더라도 책을 펴서 글을 읽을 능력이 있음을 의미합니다. 글을 읽을 가능성이 있다고도, 잠재성이 있다고도 이해할 수 있겠습니다. 그래서 'dunamis'는 '가능성'과 '잠재성' 중 하나로 번역되어 통용되고 있습니다. 저는 둘 다 좋은 번역어라고 생각하지만, 'possibility'와 혼동되지 않도록 '잠재성'으로 번역하는 편이 낫다고 생각합니다.

이와 달리 'actuality'를 '현실성'으로 번역하는 데에는 문제가 있습니다. 저는 어떤 개념을 처음 접할 때 대립어를 떠올려 이해해보려고 합니다. 여러분은 '현실성'이라는 단어를 듣고 반대말로 무엇을 떠올렸나요? 저는 '허구성'을 떠올렸습니다. '현실의 인물'과 '허구의 인물' 같은 쌍이 제게는 익숙합니다. 하지만 'actuality'가 도토리가 도토리나무로 '실현된 것'이라는 설명을 듣고 나서 제가 잘못 이해했음을 알 수 있었습니다.

'현실성'이라는 번역어는 '잠재성'의 쌍개념으로 적절하지 않다고 봅니다. '실현성'이라고 번역하면 '실현되다'라는 동사와 어근을 통일할 수 있으며, 이것이 '잠재성'과도 좋은 쌍을 이룬다고 생각합니다.

저는 이렇게 제안합니다.

- **변화는 어떤 존재자가 잠재성**potentiality**의 상태에서 실현성**actuality**의 상태로 가는 과정이다.**

김은정의 반론

제안하신 '실현성'이라는 번역어에 동의하지 않습니다. 가장 큰 문제는 '실현성'이라는 단어가 '이미 실현된 상태' 내지 '실현되어 있음'을 뜻하지 않는다는 데 있습니다. 예컨대 '너의 방학 계획표에는 실현성이 있다'라고 말할 때, 이를 '너의 방학 계획표는 이미 실천/달성되었다'라는 뜻으로 받아들일 사람은 거의 없을 것입니다. '너의 방학 계획표는 네가 실천할 수 있을 만한 계획표이다'라고 이해되겠지요. 국어사전에 따르면 '실현성'은 '실제로 이루어질 가능성'을 의미하는 '가능성'의 하위 범주입니다. 즉 '실현되다'가 아니라 '실현될 수 있다'를 명사화한 것이 '실현성'이고, 그렇기에 이 단어는 '잠재성'의 반대어가 아니라 여전히 잠재성을 지니는 상태, 그러나 잠재성이 실현될 확률은 높아진 상태 정도로 이해될 가능성이 높습니다.

이러한 오해를 방지할 수 있는 번역어로 '실제성實際性'을 제안합니다. '실제'의 동사형으로 '실제하다'는 사용하지 않지만 '실제화하다'라고 쓸 수 있는데, 이는 앞서 제안하신 '실현하다'와 뜻이 통하는 단어입니다. 그러므로 이를 활용한 말인 '실제성'을 택하면, '잠재성이 현실적으로 이루어진 상태'를 뜻할 수도 있을뿐더러, 'actuality'와 뜻이 유사한 'reality'를 '실재성實在性'으로 옮겨 양자를 구별할 수 있다는 장점도 있습니다.

이승택의 반론

'현실성'이라는 말에 오해의 여지가 있다는 데 동감합니다. 한국어의 '현실'과 '현실적이다'라는 표현은 당장 이룰 수 없는 이상 세계를 좇거나 손에 잡히지 않는 허구의 무엇을 추구하는 것과 반대되는 상태를 이를 때 사용되기도 하니 말입니다. '정부는 현실적인 문제에 집중해야 한다', '그는 현실을 모르는 사람이다' 같은 문장을 예로 들 수 있습니다. 그렇지만 '현실'이라는 말에는 '현재 실제로 존재하거나 실현될 수 있는 것'이라는 의미도 있으며, 여기에는 '현재 실제로 존재한다'라는 의미뿐 아니라

'실현될 수 있음'이라는 의미도 이미 내포되어 있다는 점에서 '현실'이라는 번역어가 강점을 가진다고 생각할 수도 있겠습니다. 이에 대응하는 동사로는 '현실이 되다'나 '현실화하다'를 사용하여, '도토리가 나무의 잠재성을 현실화하여 나무가 되었다', '도토리에 있던 나무의 잠재성이 현실이 되었다'라는 식으로 서술할 수 있겠습니다.

한편 '꿈이나 기대 따위를 실제로 이룸'이라는 사전의 뜻풀이가 보여주듯이, '실현'이라는 말에는 쟁점이 되는 내용—여기서는 한 대상이 지닌 잠재성—을 실제로 구현하는 주체를 전제하는 느낌이 있습니다. 다시 말해, '실현성'에는 해당 내용을 현실에 옮기는 누군가가 어딘가에 따로 있으리라는 오해를 불러일으킬 여지가 있습니다. 물론 도토리가 자신 안에 잠재되어 있던 나무의 속성을 실현한다는 의미에서 '실현'의 주체가 있다고도 생각할 수 있겠습니다만, 이 해석이 어느 범위까지 그럴듯하게 적용될 수 있을지는 확신이 들지 않습니다.

김은정의 반론에 대한 응답

'실현성'이 '가능성'의 하의어이며, 그에 따라 '가능성'과 유사한 의미를 지니는 '잠재성'의 반대어로 쓰이기 곤란하다는 지적은 적확합니다. 제가 틀렸고, 제안하신 '실제성'이 좋은 번역어라고 생각합니다. 이 번역어는 'actuality'의 형용사형인 'actual'이 '실제적'이라는 뜻임을 감안할 때 더욱 설득력이 있어 보입니다. 동사형인 'actualize'를 '실현하다'가 아니라 '실제화하다'로 번역해야 한다는 부담이 있기는 하지만, 현재로서는 '실제성'이 가장 좋은 선택지인 듯합니다.

이승택의 반론에 대한 응답

'현실성'에 '실현될 수 있음'의 의미가 내포되어 있다면 그것은 '현실성'이라는 번역어의 강점이 아니라 한계입니다. '실현될 수 있음'은 말 그대로 아직 실현되어 있지 않음을 의미하는데, 그렇다면 그 상태는 현실성이 아니라 잠재성에 그치기 때문입니다.

말씀하신 '실현은 주체를 전제한다'라는 표현은 애매합니다. '어떤 대상의 실현을 돕거나 야기하는 제2의 주체가 있다'로도, '실현되는 무언가가 주체로서 있다'로도 읽을 수 있습니다. 반론에서 말씀하신 바는 전자에 해당하는 듯한데, 저는 그와 관련한 예문을 떠올리기가 쉽지 않습니다. 후자의 경우, 도토리가 실현의 주체라는 점에는 아무런 문제가 없다고 생각합니다.

최종 번역어 제안

- potentiality: 가능성/잠재성→ 잠재성
- actuality: 현실성→ 실제성

8 형이상학은 '형이상'을 다루지 않는다
: metaphysics

개념 설명

시작하는 문장으로는 지나치게 강한지 모르겠습니다만 저는 '형이상학'이라는 단어가 전 세계의 철학계에서 쓰이는 빈도가 상당히 줄어들기를 바랍니다. '형이상학'이라는 한국어 번역어가 우리를 혼란스럽게 할뿐더러, 영어 표기인 'metaphysics'라고 해서 별달리 나은 무언가가 있는 것도 아니기 때문입니다. 이 장에서는 '형이상학' 내지 'metaphysics'라는 철학 분과를 이해하는 일이 왜 힘든지를 이야기해보겠습니다.

형이상학을 이해하기 어려운 첫째 이유는 그 이름에 있습니다. 분과 학문의 이름은 해당 학문의 대상으로 결정됩니다. '사회학'은 사회를 다루니까 사회학이고, '동물행태학'은 동물의 행동을 다루기에 동물행태학입니다. '형이상학'은 '형이상'을 다룰까요? 당연히 그렇지 않습니다. '형이상학'의 한자 표기인 '形而上學'은 '형태 너머의 것을 다루는 학문'이라는 의미를 가질 뿐, '형태 너머의 것'이 무엇인지를 규정하지 않기에 분과 학문의 이름으로는 사실상 실패작입니다.

'metaphysics' 역시 성공적인 이름이라고 보기 어렵습니다. 'metaphysics'는 '자연학'을 뜻하는 명사 'physics'에 '-다음에'를 뜻하는 접두사 'meta'가 붙어서 '자연학 다음에'를 의미합니다. 자연학 다음에 무엇이 나오는지를 규정하지 않기에 'metaphysics'라는 용어만으로는 'metaphysics'의 대상이 무엇인지를 포착하기 어렵습니다. '형이상학' 내지 'metaphysics'를 둘러싼 오해와 혼동은 그 이름만으로는 탐구의 대상이 무엇인지조차 파악할 수 없다는 데 일부 연유합니다.

형이상학의 대상이 무엇인지를 알게 되면 혼란이 해소될까요? 그렇지 않습니다. 형이상학의 대상 내지 주제로 제시된 것이 열 개도 넘기 때문입니다. 이것이 형이상학을 이해하기 어려운 둘째 이유입니다. 아리스토텔레스만 하더라도 형이상학의 탐구 대상으로 '존재자 자체',

‘제1원인’, ‘불변하는 것’, 이렇게 세 가지를 제안하는데, 설사 제1원인과 불변하는 것이 동일한 대상이라 해도 존재자 자체와 동일하지는 않으니까, 여기서도 대상은 최소한 두 개입니다. 만일 그렇다면 형이상학이 아니라 불변자학과 존재자학이 별개로 성립한다고 해야 옳습니다.

하지만 형이상학의 주제를 빠짐없이 열거하며 이 때문에 형이상학이 단일한 분과 학문으로 성립할 수 없다는 것은 너무 강한 주장이니, 일단 전통적인 주제 중 하나를 잡아 설명을 잇겠습니다. 이야기의 시작점은 아리스토텔레스입니다. 아리스토텔레스는 형이상학이 존재자를 다루는 학문이라고 말합니다. ‘존재자를 다루는 학문’, 좀 이상하게 들리지 않나요? “무엇을 대상으로 삼는 학문이에요?”라는 물음에 “있는 것, 즉 존재자를 다룹니다.”라고 어처구니없이 답하는 셈입니다. 없는 것을 대상으로 삼을 수는 없으니 하나 마나 한 소리처럼 들립니다.

하지만 꼭 그렇지만은 않습니다. 존재하는 것의 일부만을 다루는 다른 분과 학문과 달리 형이상학이 존재하는 것의 전체를 다룬다고 할 때, 만일 이러한 탐구가 성공리에 이루어진다면 우리는 세계를 더욱 포괄적이고 총체적으로 이해할 수 있을 테니 말입니다. 천 리 길도

한 걸음부터이니 일단 존재자의 목록에 들어갈 만한 것을 하나 잡아보겠습니다. 영화배우 김태리 씨를 사례로 들어 몇 가지 가정하겠습니다.

> 김태리 씨는 1990년생입니다. 인터뷰에 따르면 무언가에 잘 질리는 성격이라고 합니다. 박찬욱 감독과 가끔 연락하는 사이이고요. 지금 촬영장에서 잠깐 쉬면서 의자에 앉아 샌드위치로 허기를 달래고 있습니다. 매니저에게 무어라고 말하면서 따스한 햇볕을 받고 있네요.

이 묘사에서 존재자를 추려보시겠어요? 많은 분께서 김태리 씨가 존재한다고 말할 것입니다. 하지만 '앉아 있음'이라는 것은 존재하지 않는 것인가요? 그렇지 않습니다. 앉아 있는 것과 서 있는 것은 분명히 다르며, 서로 다르려면 둘 다 있어야 합니다. 이렇게 보니 '1990년생'이라는 것도 존재자이고, '잘 질리는 성격'도 존재자입니다. 아리스토텔레스는 이렇게 존재자의 목록을 사물을 넘어 확장한 뒤 사물을 실체로, 그리고 이 실체의 속성을 양, 질, 관계, 시간, 장소, 상태, 소유, 능동, 수동으로 분류합니다. 김태리 씨에 대한 위의 서술은 이 범주 순서대로 되어 있습니다.

이렇게 하여 아리스토텔레스는 형이상학을 펼칠 준비가 되었습니다. 다시 말해, 있는 것을 대상으로 삼는 학문의 성립을 위해 있는 것의 목록을 추리는 데, 또 이렇게 추려진 것을 분류하는 데 성공했습니다. 이것이 형이상학의 핵심 작업입니다. 존재자 일반을 다루는 형이상학은 우선 존재하는 것의 목록을 제안하고, 이 목록에 속하는 존재자를 빠뜨림 없이 치밀하게 분류합니다. 이렇게 함으로써 세계 및 세계 속 존재자에 대한 포괄적인 그림을 확보하게 됩니다.

바로 이 지점에서 전통 형이상학과 현대 형이상학이 갈라집니다. (이 외에도 갈라지는 지점은 많지만 여기가 핵심입니다.) 전통 형이상학은 아리스토텔레스를 따라 존재자를 대략 열 개 정도로 분류한 다음, 이를 두 개로 재분류합니다. 실체를 하나로 둔 채, 다른 아홉 개를 실체가 아닌 것, 즉 비실체로 분류하지요. '실체'가 '독립적으로 존재하는 것'이라는 의미이기에, '비실체'는 '의존적으로 존재하는 것'을 뜻합니다. 말하자면 전통 형이상학은 존재자를 독립적으로 존재하는 것과 의존적으로 존재하는 것, 이렇게 둘로 나눕니다.

둘 중 무엇이 더 중요할까요? 전통 형이상학에서는 독립적으로 존재하는 것, 즉 실체가 논의의 핵심이었습니다. 아리스토텔레스만 하더라도 '실체란 무엇인가?'를 형이상학의 핵심 물음으로 제기한 뒤, 실체에 해당하는 구체적인 대상을 찾으려고 노력합니다. 처음에는 사물이라고 생각했다가 나중에는 형상이라고 생각을 바꾸지요. 토마스 아퀴나스도 실체를 찾는다는 점에서는 마찬가지였습니다. 그에게는 실체가 신이었습니다. 스피노자도 다를 바 없었습니다. 그에게는 자연이자 신이 곧 실체였습니다. 데카르트도 같은 흐름에 있습니다. 그에게는 '생각하는 나cogito', 외부 사물, 무엇보다도 신이 실체였습니다.

여기서 형이상학을 이해하기 어려운 셋째 이유가 등장합니다. 전통 형이상학은 실체, 즉 독립적으로 존재하는 것을 다룬다고 하지만, 실체에 해당하는 존재자가 무엇인지를 둘러싸고는 철학자마다 의견이 다릅니다. 아리스토텔레스가 말하는 실체와 스피노자가 말하는 실체는 완전히 달라서, 두 사람이 실체를 두고 벌이는 논의가 알찬 결과를 낳기는 쉽지 않아 보입니다. '실체'라는 단어의 뜻, 즉 내포는 같지만 '실체'라는 단어의 대상, 즉 외연이 다르기에 실체를 둘러싼 형이상학의 논쟁이 과연 성립할 수 있는지 의심이 듭니다.

현대 형이상학이라고 해서 사정이 확연히 낫지는 않습니다. 제가 공부 모임을 진행할 때 썼던 형이상학 교재의 차례를 한국어로 옮겨보겠습니다.[13] '존재론 입문, 추상적 존재자, 물질적 존재자, 형이상학에 대한 비판, 시간, 지속, 양상, 인과, 자유의지, 인종'이 주제로 담겨 있습니다. 한 발짝만 떨어져서 보면 이러한 대상들이 형이상학이라는 단일한 항목 안에 담길 수 있는지 의구심을 품게 됩니다. 그래서 어떤 철학자는 "현대 형이상학은 철학의 다른 분과에 속하지 않는 이런저런 주제를 대충 모아둔 통이 아닐까?"라는 질문을 던지기도 합니다. 아주 불합리한 의심은 아닌 것 같습니다.

다만 현대 형이상학이 전통 형이상학에 비해 발전했다고 할 만한 지점이 적어도 하나 있습니다. 앞서 우리는 김태리 씨도 있고, 앉아 있음도 있다고 말했습니다. 그런데 김태리 씨와 앉아 있음이 정말 같은 방식으로 있나요? 둘이 같은 방식으로 존재하나요? 그렇지 않습니다.

13 Ney, Alyssa(2014). *Metaphysics: An Introduction*. Routledge.

이렇게 보면 '김태리가 존재한다1'와 '앉아 있음이 존재한다2'에 쓰인 '존재하다'는 서로 다른 단어인 듯하며, 형이상학이 있는 것 내지 존재자에 대한 탐구라고 한다면, 우리는 '있다' 내지 '존재하다'라는 단어에 대한 정의를 하나로 확정하는 일부터 마무리해야겠습니다.

콰인Quine이라는 철학자는 이렇게 '있다' 내지 '존재하다'의 의미를 탐구하는 작업을 상위 존재론이라고 합니다. 우리가 언어를 벗어나서는 탐구할 수 없기에, 있는 것 혹은 존재자 일반을 탐구하려면 일단 '있다' 내지 '존재하다'의 의미를 확정할 필요가 있다는 것이지요. 그러한 언어적 작업을 실행한 이후에 다시 형이상학의 본래 과제로 돌아와 존재자의 목록을 추리고 존재자를 분류하는 작업을 진행하자는 것이 그의 제안입니다.

번역어에 대한 비판과 제안

여기까지 저는 'metaphysics'라는 이름 아래 이루어지는 지적 활동들이 하나로 묶이기 곤란하다는 점을 강조하고자 했습니다. 제 주장이 옳다면, 'metaphysics'를 어떻게 번역하든 지금 통용되는 번역어로는 metaphysics의 대상과 방법이 무엇인지를 포착할 수 없습니다. 이것은 번역의 문제가 아니라 metaphysics 자체의 문제이며, 이를 이 책에서 다룰 수는 없습니다. (저는 'metaphysics'라는 이름은 '존재하다'의 의미를 규정하고 존재자를 분류하는 작업에만 부여하고, 나머지 활동에는 'metaphysics'가 아닌 **다른 이름**을 새로 만들어 붙여야 한다고 생각합니다.)

하지만 'metaphysics'를 '형이상학'이라고 번역하는 데는 큰 문제가 있습니다. 앞서 말씀드렸듯이 '형이상학形而上學'은 '형태 너머의 것을 다루는 학문'이라는 의미입니다. 우리 앞에 있는 감각적 사물이 형태를 가지고 있다는 점을 감안할 때, '형이상학'이라는 번역어는 metaphysics가 이 세계가 아니라 이 세계 너머의 초월적이고 근원적인 무언가를 탐구한다는 인상을 줍니다. 이는 파르메니데스 정도를 제외하면 분명히 잘못된 인상입니다. metaphysics는 우리 앞에 있는 존재자들, 즉 자연을 연구한 다음에 실행해야 하는 지적 활동일 뿐, 이 세계 너머의 무언가를 대상으로 하는 것이 아닙니다.

철학, 특히 metaphysics에 대한 오해가 깊습니다. 기본적으로 metaphysics는 '존재하다'의 의미를 파악하고, 이를 바탕으로 존재자의 목록을 추리고, 이 존재자들을 분할 및 분류하는 올바른 방식을 탐구하는 학문입니다. 따라서 그 대상은 저 너머의 존재자가 아니라 이 세계 속의 존재자이며, 그 활동은 어떠한 종교적 신화적 성격도 없는 순전히 학문적인 것입니다. '형이상학'이라는 번역어는 '형이하학形而下學'이라는 표현과 쌍을 이루면서 'metaphysics'에 대한 오해를 자아낼 뿐입니다.

'metaphysics'의 번역어로는 '메타자연학'이 어떨까 싶습니다. '자연학 다음에'라는 원어의 의미를 살린다는 점에서 적절합니다. '메타'라는 접두사는 현대 한국어에서 '메타 비평' 등의 용례로 이미 많이 쓰이기에 그대로 사용해도 전혀 어색하지 않다고 봅니다. '메타자연학'이라는 용어 자체는 'metaphysics'의 대상을 잘 설명하지는 못하지만, 그럼에도 '형이상학'이 주는 불필요한 느낌은 차단할 듯합니다.

저는 이렇게 제안합니다.

- **메타자연학metaphysics의 대상은 하나로 명료하게 규정되지 않은 상태이다.**

비판과 제안에 대한 반론

김은정의 반론

'metaphysics'의 어원에 담긴 뜻을 명료히 하고자 '메타자연학'이라는 번역어를 제안한 취지를 이해합니다. 그러나 '메타자연학'이라는 용어는 탐구 대상이 자연학인 학문, 즉 자연학의 방법론이나 본질 등을 물음으로써 자연학 자체를 메타적으로 연구하는 학문을 지시한다고 오인될 소지가 있습니다. 오늘날에는 자연학 대신 과학이라는 말을 주로 쓰니, '메타자연학'은 '메타과학metascience'의 동의어로 여겨질 위험이 있다는 의미입니다. 또한 아리스토텔레스가 제시했던 'metaphysics'는 '이 세계 속의 존재자'로 대상을 한정했을지언정, 'metaphysics'의 탐구 주제는 확장되어 신이나 영혼이 다루어지기도 했고, 오늘날에는 자유의지나 시공간 문제도 'metaphysics'라는 이름하에 다루어집니다. 이렇듯 다양한 주제를 포괄한다는 점에서 '형이상학'이라는 번역어의 이점이 있다고 보며, '형이상학'이 지시하는 바가 너무 넓다는 단점은 이미 말씀하셨듯이 'metaphysics'에 내적 통일성이 성립하기 어렵고 대상과 방법도 규격화되기 어렵다는 이 학문 자체의 특성에서 비롯한 것이지 번역어 자체의 문제는 아닌 듯합니다.

이승택의 반론

형이상학의 탐구 대상이 그리 명확하지 않고 이질적이기 때문에 '형이상학'이라는 표현의 사용을 자제해야 한다는 주장에 어느 정도 동의합니다. 영어의 'metaphysics'도 그렇고요. 하지만 그렇다고 해서 'metaphysics'를 '메타자연학'이라고 번역하면 더 나은 효과를 낳는지도 불분명합니다. 먼저 '자연학'이라는 표현은 '자연을 탐구하는 학문'이라는 의미로 읽히는 것이 가장 자연스러운데, 이는 오해를 불러일으킬 것입니다. 예컨대 '자연'은 보통 인공적인 무엇과 대비되는 상태나 영역을 가리키는 반면, 형이상학의 탐구는 인공적인 것을 포괄합니다. 또한 '자연'은 산, 들, 바다, 지구와 같은 우리를 둘러싼 주위 환경을 연상시키는 반면, 형이상학은 가능성과 필연성,

자유의지, 수학적 존재자 등의 추상적인 개념도 탐구합니다.

한편 '형이상학'(또는 '메타자연학')이라는 말을 존재 일반을 탐구하는 철학 분과에 한정하자는 제안은 흥미롭지만, 비슷한 착상에서 이미 많은 철학자가 '존재론' 및 'ontology'라는 단어를 형이상학의 하위 분과를 이르는 데 사용하고 있음을 상기한다면, 그러한 제안이 얼마나 설득력 있게 받아들여질지 확신이 들지 않습니다. 저는 '형이상학'이라는 낱말이 일상 언어에서 보이는 독특한 지위, 이를테면 '당신의 말은 너무 형이상학적이다'라고 할 때의 부정적인 어감과 '선생의 가르침은 형이상학적인 수준에 이른다'라고 할 때의 긍정적인 어감을 모두 지닌다는 사실을 감안하면, 의미가 명확하지 않다는 점이 번역의 수정을 요구할 정도로 큰 문제는 아니라는 생각도 듭니다. 이것은 영어에서 'metaphysics' 또는 'metaphysical'이 사용되는 방식을 보면 어느 정도 그럴듯합니다. 'Your idea is too metaphysical'이 '당신의 발상은 너무 메타자연학적이다'라고 번역되지는 않을 테니 말입니다.

김은정의 반론에 대한 응답

제 글에 두 가지 논점이 섞여 있습니다. 형이상학이라는 학문 분과가 이해하기 어렵다는 것이 하나이고, '형이상학'이라는 번역어가 이 세계가 아니라 이 세계 너머의 초월적이고 근원적인 무언가를 탐구한다는 인상을 준다는 것이 다른 하나입니다. 말씀하신 것처럼 앞의 문제는 'metaphysics'를 어떻게 번역하든 해결되지 않습니다. 하지만 뒤의 문제는 '형이상학'이라는 번역어에서 빚어졌다고 보고, 번역어를 바꾸면 문제 해결에 도움이 되지 않을까 싶습니다.

오늘날 'physics'는 '물리학'으로 번역되므로, '메타자연학'이 오히려 오해를 불러일으킬 수 있다는 지적에는 동감합니다. 하지만 김은정 님께서도 '형이상학形而上學'이라는 번역어가 metaphysics의 대상에 대한 오해를 불러일으킨다는 데 동감하실 것입니다. '메타자연학'이라는 번역어를 택하면 '형이상학'이라는 번역어를 택했을 때 발생하는 문제를 줄일 수 있지 않을까요? 하지만 제 제안이 그리 설득력 있는 것은 아님을 인지했기에, 이 문제에 관하여 당분간 유보적인 입장을 취하겠습니다.

이승택의 반론에 대한 응답

'존재론ontology'에 속하지 않는 형이상학의 하위 분과를 이르는 표현이 따로 있어야 하지 않나 싶습니다. 하위 분과에 속하는 다양한 주제를—어떤 번역어로 옮기든—metaphysics에 속한다고 뭉뚱그리는 것은, 마치 "어떤 음식 좋아해?"라는 물음에 "물냉면을 뺀 다른 음식"처럼 소극적으로 표현하는 것인데, 이는 특정한 지적 활동에 대한 효과적인 명명이 못 됩니다. 하지만 이는 번역어의 문제라기보다는 metaphysics라는, 매우 긴 역사를 거치면서 주제가 지나치게 다양해진 분과 자체의 문제일 것입니다.

'metaphysics'에 긍정적 부정적 어감이 함께 있다는 말씀은 'metaphysics'를 '형이상학'으로 번역해도 된다는 입장에 힘을 싣습니다. 이 점에 동의하며, 제 오류를 인정합니다.

최종 번역어 제안

- metaphysics: 형이상학→형이상학

9 '-이다'가 개념어로 그렇게 이상한가요?
: be/ought

개념 설명

인간이 이성적 동물이라고들 말하지만, 막상 이성이 어떤 능력인지를 물었을 때 답하기는 쉽지 않습니다. 실제로 철학에서도 '이성'은 다양한 의미로 쓰이는데, 이 장에서는 그중 하나를 이야기해보겠습니다. 이성을 뜻하는 영어 단어 'reason'이 '이성'인 동시에 '이유'이기도 하다는 점이 실마리입니다. 누군가가 어떤 주장을 개진하면 우리는 자연스럽게 이유나 근거를 묻습니다. 누군가가 아무런 이유나 근거 없이 펼친 주장은 신빙성이 없겠지요. 신빙성 없는 주장을 믿거나 다른 사람에게 믿으라고 요구하는 사람은 비이성적인 사람일 겁니다.

이렇게 'reason'은 '이유'나 '근거'를 의미하며, 이와 같은 근거에서 주장을, 전제에서 결론을 끌어내는 활동을 추론reasoning이라고 하고, 추론 활동을 관장하는 능력을 이성reason이라고 이해할 수 있습니다.

근거에 기반하여 결론을 끌어내는 활동, 즉 추론은 크게 둘로 나눌 수 있습니다. 하나는 이론적인 측면의 추론이고, 다른 하나는 실천적인 측면의 추론입니다. 이성이 이론적 측면에서 행하는 추론은 1장에서 이미 살펴본 바 있습니다. 소크라테스가 죽는다는 결론을 뒷받침하기 위해, 그가 인간이며 인간은 죽는다는 전제를 내놓았지요. 이렇게 추론을 통해 사실적 지식을 내놓는 이성을 '이론 이성'이라고 합니다.

반면 '실천 이성'은 사실적 지식이 아니라 행위에 대한 지침guideline을 내놓습니다. 예컨대 내 앞에 가던 사람이 갑자기 쓰러졌다고 해보죠. 어떻게 행동해야겠습니까? 실천 이성은 다음과 같은 추론을 행할 것입니다.

곤란한 상황에 처한 사람이 있으면 도와야 한다.

저 사람은 곤란한 사람이다.

그러므로 저 사람을 도와야 한다.

이것이 실천 이성의 역할입니다. 실천 이성은 우리의 행위를 적절한 근거에서 도출하고, 이렇게 도출된 내용을 우리 행위의 지침으로 제안합니다.[14] 그리고 이를 통해 도덕적 행위가 근거 있는 것임을, 아무렇게나 임의로 이루어지는 것이 아님을 말해주기도 합니다. 도덕적 행위가 실천 이성이 작용한 결과라는 주장에는 그 행위가 근거 있다는, 정당화될 수 있다는 의미가 담겨 있습니다.

이것이 도덕적 행위가 이성에 근간을 둔다고 하는 한 가지 관점입니다. 하지만 영국의 근대 철학자 데이비드 흄은 조금 다른 이야기를 합니다. 흄은 도덕적 행위나 도덕적 진술의 본성이 이성과는 아무런 상관이 없다고 주장합니다. 칸트 같은 이성주의자의 대척점에 해당하는 주장인데요, 도대체 무슨 소리인지 살펴보겠습니다. 앞서 들었던 추론 두 개를 다시 끌어오겠습니다.

14 이렇게 도출된 결론이 행위 '지침'에 불과한 이유는 우리가 이 지침을 따를 수도, 따르지 않을 수도 있는 자율적인 행위자라는 데 있습니다. 바로 이 자율성 때문에 도덕적인 행위와 비도덕적인 행위가 둘 다 가능합니다.

〔추론 1〕

인간은 죽는다.

소크라테스는 인간이다.

그러므로 소크라테스는 죽는다.

〔추론 2〕

곤란한 상황에 처한 사람이 있으면 도와야 한다.

저 사람은 곤란한 사람이다.

그러므로 저 사람을 도와야 한다.

두 추론을 비교해보시겠어요? 얼핏 보면 별 차이가 없는 듯하지만 흄은 두 추론 사이에 결정적인 차이가 있다고 생각했습니다. 〔추론 1〕에 담겨 있는 세 명제는 모두 사실 명제factual proposition입니다. 사실 명제의 특징은 세계를 서술하는 일종의 그림이라는 것입니다. 이 그림이 세계의 실제 모습과 일치하면 해당 명제는 참이고, 그렇지 않으면 거짓입니다. 따라서 〔추론 1〕의 결론을 두고는 그것이 참인지 거짓인지를 따질 수가 있습니다.

〔추론 2〕는 다릅니다. 여기에서 사실 명제는 소전제인 '저 사람은 곤란한 사람이다'밖에 없습니다. 대전제와 결론은 '-해야 한다'라는 표현이 담겨 있는 당위 명제 ought-proposition입니다. 〔추론 2〕는 사실 명제와 당위 명제가 결합한 전제에서 당위 명제를 도출한 것이고, 흄은 종적種的으로 다른 명제들을 섞었다는 이유로 이 추론에 문제가 있다고 판단합니다.

진릿값을 갖지 못하는 대전제(당위 명제)
진릿값을 갖는 소전제(사실 명제)

진릿값을 갖지 못하는 결론(당위 명제)

형식만 놓고 보면 〔추론 2〕는 위와 같이 정리할 수 있습니다. 흄에 의하면 〔추론 2〕는 진릿값이 있는 사실 명제와 진릿값이 없는 당위 명제를 섞어 추론했다는 점에서 문제가 있습니다. 또 다른 문제도 있습니다. 이를 제대로 된 추론으로 받아들인다면, 진릿값을 갖지 못하는 결론인 '그러므로 저 사람을 도와야 한다'를 참인 명제로 받아들이게 된다는 것입니다. 요컨대, '저 사람을 도와야 한다'는 결론이 아닙니다. 전제에서 도출된 것이 아니기 때문입니다. '저 사람을 도와야 한다'는 진릿값을 가지지 않습니다. 사실 명제가 아니기 때문입니다. 하지만 우리는 '저 사람을 도와야 한다'가 전제에서 도출된 참인 명제라고 생각하니, 바로 이러한 착각이 우리의 문제입니다.

이 착각은 어디에서 비롯했을까요? 흄은 우리가 존재being와 당위ought의 구별을 간과한 데 주목합니다. 세계가 어떠하다be고 말하는 진술과 세계가 어떠해야 한다ought고 명하는 진술은 근본적으로 다르며, 하나에서 다른 하나가 추론되는 일은 불가능합니다. 윤리적 명제는 어느 명제에서도 추론되지 않으며, 세계를 순전히 서술하기만 하는 사실 명제도 아닙니다.

그렇다면 흄이 보기에 윤리적 명제의 핵심은 무엇일까요? 바로 감정과 정서입니다. 흄의 영향을 받은 어떤 철학자는 도덕과 관련한 발화가 감정의 표현에 다름 아니라고 주장합니다. 예컨대 누군가가 어떤 동물을 때리는 모습을 떠올려보세요. 생각만 해도 곧바로 불쾌감을 느낄 것입니다. 이 불쾌감을 올바르게 진술하면 '나는 저 사람이 개를 때리는 모습을 보고 불쾌감을 느꼈다'가 될 것입니다. 하지만 우리는 감정의 표현에 그치지 않고, 내가 느낀 감정이 참인 명제가 되어 다른 사람의 행위에 대한 지침이 되기를 원합니다. 그렇기에 감정의 표현이 '개를 때리는 것은 도덕적으로 올바르지 않다' 혹은 '개를 때려서는 안 된다'라는 식으로 바뀌어 발화되는 것입니다. 이처럼, 도덕과 비도덕은 우리가 특정 행위에서 느끼는 긍정적 부정적 감정과 관련할 뿐이라는 입장을 정서주의emotivism라고 합니다.

흄에게서 비롯한 이 발상으로 인해 윤리학에서 다루는 가치 명제와 당위 명제가 참, 거짓이 불확실하거나 최소한 자의적이라는 생각이 그럴듯하게 들립니다. 그리고 이 생각에 따르면 객관적인 진릿값을 가지는 사실 명제만이 학문의 대상이며, 학문의 대상이 되는 사실 명제를 산출하고 다루는 학문은 철학이 아니라 (넓은 의미의) 과학이 됩니다. 세계가 존재하는 바를 있는 그대로 파악하고, 세계에 대한 그림에 해당하는 명제를 만들 수 있는 것은 과학뿐이라는 입장은 오늘날 퍼져 있는 상식에도 어느 정도 부합합니다.

'저 사람은 곤란한 사람이다' 같은 사실 명제에서 '그러므로 저 사람을 도와야 한다' 같은 당위 명제를 도출하는 것, '우유에는 청소년의 성장에 유익한 성분이 들어 있다' 같은 사실 명제에서 '그러므로 청소년에게 우유를 무상으로 급식해야 한다' 같은 당위 명제를 도출하는 것, 이러한 오류는 흄이 말하는 '존재와 당위'의 구별을 간과한 데에서 비롯합니다.

being/ought를 존재와 당위라고 번역하는 데 담긴 문제를 살펴보겠습니다. 첫째 예문을 영어로 쓰면 다음과 같습니다.

> He is in a trouble.(저 사람은 곤란한 사람이다.)
>
> Therefore, we ought to help him.(그러므로, 저 사람을 도와야 한다.)

여기서 'is'와 'ought'는 한국어로 '-이다'와 '-해야 한다'로 번역됩니다. 다시 말해 'be/ought'의 구별은 '존재/당위'의 구별이 아니라 '-이다/-이어야 한다'의 구별입니다. 'be'를 '존재'로 번역하는 것은, 'be'가 '-이 있다'라는 존재사와 '-이다'라는 계사[15]로서 가지는 두 가지 의미 중 전자에 초점을 맞춘 것입니다. 하지만 위 논의에서 'be'는 계사로 쓰였습니다.

하지만 매번 '-이다/-이어야 한다의 구별'이라고 쓰는 것은 다소 어색할뿐더러 장황하기에 번역에 조금 개입하여 '사실/당위의 구별'이라고 쓰면 어떨까 싶습니다. 물론 '사실'이라는 표현에는 어떤 명제가 참이라는 느낌이 있어 문제가 있지만, '당위'에 대응하는 단어로는 '사실'만큼 적합한 단어가 당장에는 없는 듯합니다.

저는 이렇게 제안합니다.

- **사실be과 당위ought의 구별을 전제한다면 도덕적 명제의 핵심은 감정이나 정서의 표현에 있다.**

15 'be'는 '-이다'의 의미로, '-이 있다'의 의미로 쓰일 때도 있습니다. 전자의 경우 주어와 보어의 관계를 형성하는 역할을 하기에 '계사繫辭'라고 하며, 후자는 '존재사'라고 합니다.

김은정의 반론

제안하신 바에 동의합니다.

이승택의 반론

종래의 문헌이 'be/ought'를 번역하는 과정에서 'be' 동사의 두 가지 의미, 즉 '-이 있다'와 '-이다'를 명확히 따져보지 않고 전자에만 초점을 맞추어 '존재/당위'라는 오해의 소지가 있는 번역어를 선택했다는 가설이 무척 흥미롭고 그럴듯합니다. 엄밀히 따지면 'be/ought'의 구별을 '-이다/-이어야 한다'로 번역해야 한다는 주장에도 공감합니다. '-이 있다'라는 의미로 사용될 때 'be' 동사는 (비슷한 뜻을 가진 'exist'처럼) 주어와 결합하는 것만으로 완전한 문장을 형성하는 소위 1형식 동사인 반면, '-이다'라는 의미로 사용될 때는 주어뿐 아니라 주어를 서술하는 명사 혹은 형용사 보어를 요구하는 2형식 동사임을 감안하면, 'be/ought'를 논할 때 'be'는 분명 후자에 해당하는 것으로 보입니다. 따라서 저는 '사실/당위'라는 번역어가 '존재/당위'라는 번역어보다 낫다는 신우승 님의 제안에 십분 동의합니다.

그럼에도 '사실/당위'라는 번역어가 포착하지 못하는 지점이 하나 있다면, 이 구별이 '자연주의의 오류'라는 개념과 역사적으로 밀접한 관련을 맺는다는 데 있습니다. '모유 수유는 아기에게 영양분을 제공하는 가장 **자연스러운** 방식이다'에서 '따라서 아기에게 (이를테면 분유를 먹이는 것은 부자연스러우므로) 모유 수유를 하는 것이 **당연하다**'를 도출하려는 시도를 예로 들 수 있습니다. 이 점을 감안하면 '사실/당위'보다 '자연/당연'이라는 표현이 어쩌면 더 직관적이고 적합한 번역어일 수 있습니다. 게다가 '사실'이라는 말에는 실제 현실에서 성립하고, 그래서 참이라는 어감이 있는데, 우리는 위의 추론이 오류임을 지적하고자 '모유 수유가 아기에게 영양분을 제공하는 가장 자연스러운 방식이다'라는 문장을 사실로 받아들일 필요가 없으니 말입니다.

이승택의 반론에 대한 응답

'be'를 '자연'으로 번역하는 데에는 무리가 있다고 생각합니다. 일반적으로 '자연'에 반하는 단어는 '인공'이나 '구성'이기 때문입니다. 예컨대 특정 젠더에 부과되는 행위 규범은 자연적인 것으로 간주되나 실상은 인공적인 것 내지 구성된 것이지요. 저는 '자연'은 이 맥락에 제한하여 사용하는 편이 낫다고 생각합니다.

잘 아시다시피 '자연주의의 오류'는 흄보다 후대 철학자인 조지 에드워드 무어George Edward Moore가 제시한 개념으로, 흄이 말한 'be/ought'의 구별과 무어가 말한 '자연주의의 오류'가 완벽하게 일치하지는 않습니다. 무어는 자연적인 것에서 도덕적 내용을 도출하는 오류를 짚었는데, 흄이 말하는 'be'의 내용이 꼭 자연적 사실에 대한 진술에만 제한되지는 않기 때문입니다.

최종 번역어 제안

- be/ought: 존재/당위→ 사실/당위

10 있는 것과 존재하는 것이 다를까?
: be/exist

개념 설명

저는 제 반려견 조디와 포스터를 구별할 수 있습니다. 개와 고양이도 구별할 수 있습니다. 동물과 식물도 구별할 수 있습니다. 생물과 무생물도 구별할 수 있습니다. 여기까지는 여러분도 자신 있게 '저 정도는 나도 할 수 있는데?'라고 생각할 것입니다. 하지만 있는 것과 없는 것을 구별할 수 있나요? 저는 사실 이 문제와 관련해서는 그리 자신이 없습니다.

괜찮습니다. 우리뿐 아니라 철학자들조차 이 문제의 해결에 자신이 없으니 말입니다. 있는 것과 없는 것을 구별하는 일이 왜 어려운지를 보이는 사례를 하나 들겠습니다.

오디세우스는 아저씨이다.

호메로스의 『오디세이아』에서 주인공으로 등장하는 오디세우스는 아저씨입니다. 따라서 위의 문장은 유의미할뿐더러 참인 듯합니다. 심지어 여러분 중 일부는 오디세우스를 좋아하거나 싫어할 수도 있습니다. 호오好惡의 대상이니 오디세우스는 있는 것 중 하나에 속합니다. 없는 것을 좋아하거나 싫어할 수는 없으니까요.

하지만 오디세우스가 정말 존재하나요? 여러분과 제가 실제로 있는 것과 같은 방식으로 오디세우스가 있습니까? 아닙니다. 그는 허구의 인물이고, 허구의 인물이 있다고 말해버리면 허구의 인물과 실존 인물 사이의 구별이 무너집니다. 오디세우스는 존재하지 않습니다. 그런데 존재하지 않는다고 말하면 '오디세우스는 아저씨이다'라는 문장의 유의미성을 설명하기 어렵고, 우리가 오디세우스를 좋아하거나 싫어하는 것을 설명하기도 곤란해집니다.

우리는 사면초가에 빠졌습니다. 오디세우스를 있는 것으로 간주하자니 그가 허구의 인물임을 간과하게 되고, 없는 것으로 간주하자니 '오디세우스'를 주어로 삼는 문장의 유의미성을 설명하지 못하게 됩니다. 이것이 있는 것과 없는 것을 구별하는 일이 예상 밖으로 난관임을 보이는 가장 유명한 사례 중 하나입니다. 이에 대한 대표적인 대응 세 가지를 소개하겠습니다.

첫째 대응은 '오디세우스' 같은 이름의 의미를 뜻sense과 지시체referent로 나누는 것입니다. 뜻과 지시체는 오늘날 우리가 말하는 내포intension와 외연extension과 같습니다. (내포와 외연에 대해서는 6장의 각주 12번에서 설명한 바 있습니다.)

'오디세우스'의 내포는 무엇일까요? '호메로스의 『오디세이아』에서 주인공으로 등장하는 인물'이라고 말하면 문제가 없겠습니다. 그렇다면 '오디세우스'의 외연은 무엇일까요? 오디세우스는 허구의 인물이기 때문에 '오디세우스'라는 이름은 그 누구도 지시하지 않으며, 따라서 '오디세우스'의 외연은 없습니다. 이에 따라 '오디세우스는 아저씨이다'라는 문장 역시 내포는 있지만 외연이 없는 문장이 되지요. 어떤 문장에 내포가 있지만 외연이 없다는 말은 그 문장이 유의미해서 의사소통의 대상이기는 하지만 참도 거짓도 아님을 의미합니다. 요컨대, 첫째 대응에 따르면 '오디세우스는 아저씨이다'는 유의미하지만 참도 거짓도 아닌 문장입니다. (참도 거짓도 아닌 평서문이라는 것이 어떻게 성립 가능한지가 선뜻 이해되지는 않지만 그것까지 살펴보지는 않겠습니다.)

둘째 대응은 '오디세우스'가 사실은 이름이 아니라 한정 기술구definite description의 연언conjunction이라고 말하는 것입니다. 한정 기술구는 말 그대로 어떤 대상을 기술하되, 그렇게 기술된 내용이 어떤 대상을 딱 짚어주는 표현을 말합니다. 김혜수 씨에 대한 기술구를 두 개 들어보겠습니다.

한국의 영화배우

영화 〈타짜〉에서 정 마담 역을 맡은 배우

둘 다 김혜수에 대한 기술구로 문제없이 기능합니다. '김혜수는 한국의 영화배우이다'와 '김혜수는 영화 〈타짜〉에서 정 마담 역을 맡은 배우이다'가 구문에 맞는 유의미한 문장임을 보면 알 수 있습니다. 그런데 '한국의 영화배우'라는 표현만 가지고는 김혜수 씨를 식별할 수 없습니다. '조승우는 한국의 영화배우이다'처럼 다른 배우도 같은 표현으로 기술될 수 있기 때문입니다. 이와 달리 '영화 〈타짜〉에서 정 마담 역을 맡은 배우'라는 표현으로는 김혜수 씨를 식별할 수 있습니다. 이것이 한정 기술구의 특징입니다.

'오디세우스'에 대한 한정 기술구는 앞서와 마찬가지로 '호메로스의 『오디세이아』에서 주인공으로 등장하는 인물' 정도로 서술하면 무난하겠습니다. 그런데 여기서 중요한 점은 이 한정 기술구가 실제로는 몇몇 문장의 연언, 즉 몇몇 문장이 이어진 것이라는 데 있습니다. 이 주장에 따르면 '오디세우스는 아저씨이다'는 '호메로스의 『오디세이아』에서 주인공으로 등장하는 인물은 아저씨이다'로 재서술되며, 이렇게 재서술된 문장은 다음과 같이 분석됩니다.

x는 호메로스의 『오디세이아』에서 주인공으로 등장하는 인물이다.
x는 최소한 한 사람 존재한다.
x는 최대한 한 사람 존재한다.
x는 아저씨이다.

x에 들어갈 만한 존재자가 있나요? 없습니다. 오디세우스가 허구의 인물이기 때문입니다. 따라서 이 접근 방식에 따르면 '오디세우스는 아저씨이다'는 거짓 명제가 됩니다. '오디세우스는 아저씨이다'를 구성하는 요소인 'x는 최소한 한 사람 존재한다'가 거짓이기 때문입니다. 요컨대, 둘째 대응에 따르면 '오디세우스는 아저씨이다'는 유의미하고 거짓인 문장입니다.

셋째 대응은 매우 독특합니다. 있음과 관련한 개념을 특이하게 정의하기에 그렇습니다. '사과'와 '과일'이라는 두 단어 중 무엇이 상의어인가요? '과일'이 상의어이고, '사과'가 그에 속한다고 생각할 것입니다. '존재자'와 '대상' 중에서 무엇이 상의어인지 묻는다면, '존재자'가 상의어이고 '대상'이 그에 속한다고 생각할 테지요. 하지만 여기서는 그 반대입니다. '대상'이 '존재자'의 상의어입니다. 그리고 대상은 다음과 같이 나뉩니다.

있음being을 가지는 대상

존재하는exist 대상

존립하는subsist 대상

있음을 결여하는 대상

있지 않음을 갖는 대상

모순적이지 않은 대상

모순적인 대상

있음의 측면에서 결정되지 않는 대상

'있음을 결여하는 대상'이나 '있지 않음을 갖는 대상'이라는 말이 직관적으로 이해되지는 않지만 일단 받아들이고 이야기를 잇겠습니다. 이 접근 방식에 따르면, 허구의 인물인 오디세우스는 있음을 가지는 대상 중 존재하지는 않지만 존립하는 대상에 해당합니다. 우리 같은 사물은 존립할뿐더러 존재하기도 하는 대상이고요. 이처럼 다소 이해하기 어려운 구별이 필요한 이유는 이렇습니다. 한 문장이 참이려면 그 문장의 주어는 어떤 의미에서 반드시 있어야만 하는 것이어야 할 텐데, '오디세우스는 아저씨이다'와 같은 문장의 주어는 일상적 직관에 비추어 보면 분명 있지 않습니다(즉 없습니다). 참인 문장의 주어가 지시하는 대상이 반드시 있어야 한다는 강한 직관을 놓고 보면, 혹시 우리가 '있다'라는 말을 그동안 너무 협소하게 사용하고 있지 않았나 하는 의심이 드는 것이죠. 이에 따라 '존재한다'를 '있다'라는 의미로 두되 이와 구별되는 방식의 있음, 말하자면 '존립한다'라는 말을 새롭게 도입하는 해결책을 내놓을 수 있습니다.

여기서 '있다'와 '존재하다'의 독특한 사용법을 파악할 수 있습니다. 일반적인 경우에는 '있다'와 '존재하다'가 완전히 동의어입니다. 하지만 이 접근 방식에서는 오디세우스가 존재하지 않지만 존립하는 방식으로 있으니, '있다'와 '존재하다'가 동의어가 아님을 알 수 있지요. 존재는 있음의 한 방식일 뿐이니 말입니다. 이렇게 보면 오디세우스는 허구의 인물일지언정 존립하는 대상이기는 하니 문장의 주어가 되는 데 전혀 문제가 없습니다. 요컨대, 셋째 대응에 따르면 '오디세우스는 아저씨이다'는 유의미하고 참인 문장입니다.

정말 재미있지 않습니까? '오디세우스는 아저씨이다' 같은 단순한 문장을 두고도, 한 입장은 유의미하지만 진릿값이 없다고 말하고, 다른 입장은 유의미하지만 거짓이라고 말하며, 또 다른 입장은 유의미하면서 참이라고 말합니다. 여러분이 보기에는 어떤 입장이 가장 설득력 있나요?

1형식 동사 'be'와 'exist'는 대부분의 경우 동의어로 활용됩니다. 한국어에서 '있다'와 '존재하다'가 같은 의미인 것과 마찬가지입니다. '지구상에 생명체가 있다'라는 말이나, '지구상에 생명체가 존재한다'라는 말이나, 별반 다르지 않습니다. 누군가가 이 두 단어를 별개의 의미로 쓰자고 제안한다면 아주 특별한 이유가 없는 한 그리 폭넓은 동의를 얻지 못할 것입니다.

이렇게 'be'와 'exist'가, 또 이것의 번역어인 '있다'와 '존재하다'가 동의어이니, 'be'를 '존재하다'로 번역하거나 'exist'를 '있다'로 번역해도 큰 문제가 있다고 생각하지는 않습니다. 하지만 가능한 한 'be'를 '있다'로, 'exist'를 '존재하다'로 번역하는 편을 제안합니다. 그렇게 고정하면 몇 가지 이점이 있습니다.

첫째, 한국어와 영어 둘 다에서 각 단어가 보이는 무게감의 차이를 잘 반영할 수 있습니다. 방금 '지구상에 생명체가 있다'는 말과 '지구상에 생명체가 존재한다'는 말이 별반 다를 바 없다고 말씀드렸으나, 사실 어감에서는 분명 차이가 있습니다. 전자와 달리 후자는 특정 생명체의 존재 여부를 강조합니다. '존재한다'라는 말은 분명 '있다'라는 말보다 언어 사용에서 빈도가 낮으며, 이에 따라 이 말을 듣는 청자는 화자에게 어떤 숨은 의도가 있는지를 고민하게 됩니다. 이를 직관적으로 표현하자면, '존재한다'라는 말은 '있다'라는 말보다 무겁습니다. ('존재감'이라는 유행어를 떠올려 보시면 이해하기 쉽습니다.) 이것은 영어에서도 마찬가지입니다. 'There is an apple on the table'이나, 'An apple exists on the table'이나, 의미상 차이는 없습니다. 다만 사용 빈도를 따지자면 전자가 후자보다 압도적으로 높습니다. 이에 따라 화자가 동일한 사실을 전달하는 데 굳이 후자를 택한다면 청자는 화자의 숨은 의도가 있는지를 고민하게 될 겁니다. 'be'를 '있다', 'exist'를 '존재한다'에 대응시키는 것이 유용한 한 가지 이유입니다.

둘째, 한국어의 '있다'와 영어의 'be'가 둘 다 동작이나 상태를 서술하는 데 사용되기도 한다는 공통점을 포착할 수 있습니다. 'be'의 두 가지 의미, 즉 '-이 있다'와 '-이다'를 섬세하게 구별하는 일이 얼마나 중요한지를 앞 장에서 말씀드렸습니다만, 사실 '있다'라는 한국어 단어도 동작이나 상태를 서술하는 데 보조적인 역할을 할 때가 잦습니다. '하늘에 비행기가 떠 있다', '사과 하나가 탁자 위에 있다', '고양이가 잠을 자고 있다', '상황이 점차 나아지고 있다' 등의 문장에서 '있다'는 특정 대상의 존재를 주장하기보다 동작과 상태를 보조 서술하는 역할을 합니다. 영어의 'be' 동사도 마찬가지이죠. 'The airplane is in the sky', 'An apple is on the table', 'The cat is sleeping', 'Things are getting better'에서 'be' 동사는 'exist'의 제한적인 용법을 넘어섭니다. 'exist'라는 단어가 변형되어 활용되는 사례는 'existing' 정도를 들 수 있을 텐데, 이것도 '기존의', '현존하는' 등의 ('존재하다'와 관련하는) 번역어와 주로 결부됩니다.

저는 이렇게 제안합니다.

- **'있다'는 'be'이고, '존재하다'는 'exist'이다.**

비판과 제안에 대한 반론

김은정의 반론

제안하신 바에 동의합니다.

이승택의 반론

제안하신 바에 동의합니다.

최종 번역어 제안

- be / exist: 있다 / 존재하다

11 '인식하다'는 너무 많은 뜻으로 쓰인다
: epistemology

개념 설명

철학에는 인식론epistemology이라는 분과가 있습니다. 그리스어 '에피스테메episteme'가 '지식'을 뜻하는 영어 'knowledge'에 해당하니, 인식론은 지식 내지 앎에 대한 이론입니다. 철학이 개념을 정의하려는 학문이기에, 인식론은 '지식이란 무엇인가?'라는 물음을 던지고 지식에 대한 정의를 확보하려고 합니다. 이를 포함하여 인식론의 주요 물음은 아래와 같습니다. (눈치채셨겠지만 철학에서 인식, 지식, 앎은 대부분 같은 말로 쓰입니다.)

앎이란 무엇인가?

우리는 어떻게 아는가?

우리는 어느 만큼 알 수 있는가?

둘째와 셋째는 상당 부분 심리학의 물음으로 전환되었습니다. 그래서 인식론의 핵심 물음은 '앎이란 무엇인가?', 즉 '안다는 것은 무슨 의미인가?'입니다. 몇 개의 예문을 통해 이 물음에 대한 답변을 찾아가 보지요.

1) 나는 지금 하늘에서 눈이 내린다는 점을 안다.

2) 나는 지금 땅에서 눈이 솟는다는 점을 안다.

2)가 거짓 명제임은 당연하겠습니다. 그런데 '안다는 것은 무슨 의미인가?'에 대한 전통적 대답을 이해하려는 우리 입장에서 중요한 것은, 2)를 말한 사람조차 아마 농담으로 그랬겠지 2)를 정말로 믿지는 않으리라는 점입니다. 반면 1)을 말한 사람은 자신이 말한 1)을 믿을 것입니다. 여기서 우리는 '안다는 것은 무슨 의미인가?'에 대한 첫째 대답을 얻게 됩니다. 무언가를 안다는 것은 무언가를 **믿는다**는 것을 포함합니다. 다음으로 가죠. 지금 눈이 오고 있다고 가정합시다.

1) 나는 지금 하늘에서 눈이 내린다는 점을 안다.

3) 나는 지금 하늘에서 비가 내린다는 점을 안다.

1)은 참이고 3)은 거짓입니다. 밖에 눈이 내리는 중인데 누가 3)을 말한다면 지금 하늘에서 비가 내린다는 점을 안다고 보기는 어렵습니다. 거짓 명제는 지식의 대상일 수 없습니다. 잘못된 믿음의 대상일 수만 있습니다. '나는 1+1=3임을 안다'가 말이 안 되는 것을 생각해보시면 이해하기 쉽습니다. 여기서 우리는 '안다는 것은 무슨 의미인가?'에 대한 둘째 대답을 얻게 됩니다. 무언가를 안다는 것은 우리가 믿는 명제가 참일 것을 요구합니다.

다음으로 가죠. 이번에도 지금 눈이 오고 있다고 가정합시다.

1) 나는 지금 하늘에서 눈이 내린다는 점을 안다.

앞서 보았듯이 우리는 1)을 믿고, 1)은 참입니다. 하지만 이것만으로 앎이 성립하지는 않습니다. 사방이 막힌 방 안에서 그냥 추측을 통해 밖에 눈이 내린다고 믿는다면 우리는 1)을 아는 것이 아닙니다. 우리가 1)을 아는 것은 이를테면 창문을 열어 날씨를 확인했기 때문입니다. 그렇기에 누군가 "지금 눈이 내리는 걸 네가 어떻게 아느냐?"라고 묻는다면 "창문 열어서 직접 봤어."라고 답할 수 있지요. 우리가 믿는 참인 1)은 창문을 열어 밖을 직접 보았다는 경험을 근거로 삼습니다. 이것이 '안다는 것은 무슨 의미인가?'에 대한 셋째이자 마지막 대답입니다. 무언가를 안다는 것은 우리가 그 명제를 믿게 된 근거를 통해 믿음이 **정당화**된다는 것을 의미합니다.

정리하겠습니다. 지금 하늘에서 눈이 내린다는 것을 안다고 할 때, 이 앎 내지 지식은 첫째로 우리가 이 명제를 믿으며, 둘째로 이 명제가 참이고, 셋째로 이 명제에 대한 믿음이 정당화된다는 점을 뜻합니다. 이를 각기 믿음 조건, 참 조건, 인식 정당성 조건이라고 합니다. '안다는 것은 무슨 의미인가?'에 대한 전통적인 대답이 바로 '앎 = 정당화된 참인 믿음'입니다. 2500년 이상 지속된 이 대답의 위력은 엄청났습니다. 그러나 이 답변에 결함이 있다는 것이 20세기 중반에 등장한 두세 쪽 분량의 논문에 의해 밝혀졌습니다. 저자의 이름을 따 '게티어 논문'이라고 하는 이 짧은 텍스트의 절반을 설명하겠습니다.

본격적으로 설명하기 전에 에드먼드 게티어Edmund Gettier가 짚은 두 가지를 우리도 짚고 갈 필요가 있습니다. 게티어가 첫째로 짚은 것은, 사실은 거짓인 어떤 명제를 믿는 일이 정당화될 수 있다는 점입니다. 예를 들어 눈이 내리지 않지만 눈이 내리고 있다고 믿는 일이 있을 수 있습니다. 방금 전에 친구가 나를 속이기 위해 눈 스프레이를 옷과 가방 등에 뿌린 채 들어오면서 밖에 눈이 내린다고 말하는 경우를 상상해봅시다. 친구가 그렇게 감쪽같이 속였으니, 밖에 눈이 내린다는 거짓 명제를 믿는 일은 우리에게 정당했습니다. 이를 '게티어의 논점 1'이라고 부르겠습니다.

게티어가 둘째로 짚은 것은 우리가 P라는 명제를 믿고 이 믿음이 정당화된다면, P가 함축하는 Q를 믿는 것도 정당화된다는 점입니다.[16] 예컨대 '마리 퀴리는 노벨 화학상을 받았다'는 '마리 퀴리는 화학자이다'를 함축하며, 그렇기에 '마리 퀴리는 노벨 화학상을 받았다'를 안다면 '마리 퀴리는 화학자이다'를 아는 셈입니다. 이를 '게티어의 논점 2'라고 부르겠습니다. 이제 게티어가 내놓은 사례를 보겠습니다.

4) 이 직장에 고용될 사람은 존스이며, 존스는 주머니에 열 개의 동전이 있다.

16 '함축entailment'은 한 명제가 참일 때 다른 명제가 필히 참이 되는 두 명제 사이의 관계를 의미합니다.

스미스는 4)를 믿습니다. 이 믿음은 참일뿐더러 정당화됩니다. 사장이 스미스에게 존스가 입사하리라고 말했고, 존스 주머니의 동전 개수를 스미스가 직접 세보았기 때문입니다. 따라서 스미스에게 4)는 정당화된 참인 믿음입니다. 스미스는 4)를 알지요. 4)에 대한 지식이 있다고도 말할 수 있습니다.

5) 이 직장에 고용될 사람은 자기 주머니에 열 개의 동전이 있다.

'게티어의 논점 2'를 떠올려보세요. 5)는 4)가 함축하는 명제입니다. 직장에 고용될 사람이 존스이고, 그의 주머니에 동전이 열 개 있다면, 직장에 고용될 사람의 주머니에 동전이 열 개 있는 것은 필연적이지 않을까요? 그렇기에 스미스가 4)를 안다면 5)를 알 수밖에 없습니다. 5)가 어디서 뚝 떨어진 것이 아니라, 이미 정당화된 참인 명제인 4)에 함축되어 있다는 점에서 5) 역시 정당화된 참인 명제입니다. 따라서 스미스는 5)를 압니다.

이번에는 '게티어의 논점 1'을 떠올려보세요. 그런데 알고 보니 사장이 잘못 알고 있었습니다. 이 직장에 고용될 사람은 존스가 아니라 스미스입니다. 몰랐지만 스미스 자신의 주머니에도 동전이 열 개 있습니다. 하지만 이렇게 상황이 바뀌더라도 5)는 참입니다. 스미스의 주머니에 동전이 열 개 있으니까요. 더욱이 스미스의 믿음은 나름대로 정당화된 것이었습니다. 사장이 그렇게 말하는데 누가 안 믿겠습니까? 자기 주머니 속 동전의 개수를 외우고 다니는 사람이 몇이나 될까요? 스미스가 잘못된 정보를 믿는 데에는 이유가 있었습니다.

이제 입사가 확정된 스미스에게 가서 축하를 해줍시다. 스미스가 뭐라고 말할까요? 아마 이렇게 반응할 듯합니다. "제가요? 존스가 아니라 제가 취직했다고요? 어, 나도 주머니에 동전이 열 개가 있네?" 이러면서 놀라겠지요. 이런 반응을 고려할 때 스미스가 5)를 안다고 말하기는 어렵습니다. 이 경우 스미스는 5)를 알지 못합니다. 여기까지의 이야기를 정리해보죠. 스미스가 아는 것 같았으나 사실은 모르는 문장을 다시 보여드리겠습니다.

5) 이 직장에 고용될 사람은 자기 주머니에 열 개의 동전이 있다.

스미스는 5)를 믿고(믿음 조건의 충족), 5)는 참이며(참 조건의 충족), 5)에 대한 믿음은 정당화됩니다(인식 정당성 조건의 충족). 자, 그렇다고 해서 스미스가 5)를 안다고 말할 수 있을까요? 그렇지 않습니다. 자기가 입사하는지 모르고 풀이 죽어 있다가 화들짝 놀라는 스미스를 보면 확실히 그렇습니다.

게티어는 앎에 대한 믿음 조건, 참 조건, 인식 정당성 조건이 모두 충족되더라도 앎이 아닌 경우가 있다고 말합니다. 지식의 필수〔필요〕충분조건에는 어떤 조건이 더 필요해 보입니다. 이것이 '정당화된 참인 믿음은 앎인가?'에 대한 게티어의 답변입니다. 정당화된 참인 믿음이라는 점만으로는 앎이 성립되지 않아요. 믿음 조건, 참 조건, 인식 정당성 조건과 함께 작동하여 앎을 형성할 추가 조건을 찾을 필요가 있습니다. 또는 인식 정당성 조건을 강화할 수도 있겠고요. 이러한 작업을 현대 인식론의 과제로 부여한 데 게티어 논문의 의의가 있습니다.

번역어에 대한 비판과 제안

한국어에서 '인식'이라는 단어는 매우 폭넓게 쓰입니다. 예문을 몇 개 보겠습니다.

> 그들은 현재의 상황을 안정적이라고 인식하는 듯하다.
>
> 예술은 단지 신이 창조한 자연 속에서 형상을 인식하여 그것을 모방할 따름이다.
>
> 교사는 청소년에게 올바른 인식을 심어줄 필요가 있다.

세 예문에 공히 '인식'이라는 단어가 있지만 의미는 상이합니다. 첫째 예문의 '인식하다'는 '간주하다'나 '해석하다'에 가깝습니다. '그들은 현재의 상황을 안정적이라고 해석하고 있는 듯하다'로 쓰면 의미가 더 분명해집니다. 두 번째 예문의 '인식하다'는 '포착하다'에 가깝습니다. '예술은 단지 신이 창조한 자연 속에서 형상을 포착하여 그것을 모방할 따름이다'라고 쓰면 의미가 더 분명해집니다. 세 번째 예문의 '인식'은 '가치관'이나 '세계관'에 가깝습니다. '교사는 청소년에게 올바른 가치관을 심어줄 필요가 있다'라고 쓰면 의미가 더 분명해집니다.

이처럼 현대 한국어에서 '인식' 내지 '인식하다'의 의미는 맥락에 따라 유연하게 쓰이는 편입니다. 일부 경우를 제외한다면 철학에서 말하는 좁은 의미의 지식 내지 앎을 뜻하는 '인식하다'와는 분명히 다릅니다. 철학에서의 '인식하다'는 **지식**의 성립과 관련되어 있기 때문입니다.

그러므로 'epistemology'를 '인식론'으로 번역하는 것에는 문제가 있다고 생각합니다. '에피스테메episteme'가 '지식'을 뜻하는 영어 'knowledge'라고 말씀드린 데에서 알 수 있듯, 또 'epistemology'를 'theory of knowledge'로 쓰는 경우가 잦다는 점에서도 알 수 있듯, 'epistemology'는 '인식'과 구별하여 '지식 이론' 또는 '지식론'으로 번역하는 편이 좋겠습니다.

물론 철학에서 '인식'으로 번역되는 'cognition'이 '지식'으로 쓰일 때가 있기는 합니다. 고대 인식론에서는 'cognitive impression'이라는 개념이 등장하는데요, 이를 풀어서 번역하면 '인식을 가능하게 하는 인상' 정도가 됩니다. 우리의 감각기관에 주어지는 인상 중 인식 내지 지식을 형성하게 하는 또렷한 인상을 'cognitive impression'이라고 합니다. 이 경우에는 'cognition'과 'knowledge'

가 동의어로 쓰이고, 이에 따라 '인식'과 '지식'이 동의어로 쓰이지만, 대부분의 경우에는 'cognition'보다 'knowledge'가 전면에 등장합니다.

저는 이렇게 제안합니다.

- '지식 이론epistemology'은 지식 내지 앎의 본성을 탐구하는 철학의 분과이다.

김은정의 반론

'인식'이 어떤 것을 아는 과정, 이에 대한 내용 등 '안다 know'는 것과 관련한 총체적인 의미를 지닐 수 있는 반면, '지식'이라는 말은 인식을 통해 얻은 후 정리한 결과물 혹은 어떤 권위에 의해서나 입증을 통해서 공인된 정보로 이해되는 경향이 있습니다. 그렇기에 본문의 예시 중 '스미스는 자기 주머니에 열 개의 동전이 있음을 안다'를 '스미스는 자기 주머니에 열 개의 동전이 있다는 지식을 얻었다'라고 표현하는 경우는 별로 없습니다. '주머니에 동전 열 개가 있다'는 점은 지식이라고 하기에는 '자잘한' 사실로 여겨지기 때문입니다. 그러나 'epistemology'에서는 이와 같은 '자잘한' 것도 앎으로 성립할 수 있는지와 같은 주제가 탐구됩니다. 이러한 느낌의 차이로 말미암아 '지식 이론'은 'epistemology'의 전체 탐구를 포괄하지 못하므로 기존의 번역어인 ‘인식론’을 고수하는 것이 낫겠습니다.

이승택의 반론

김은정 님이 내놓은 반론의 연장선상에서, 지식의 정의를 내리는 것이 인식론의 주요 작업 중 하나임은 분명하지만, 이외에도 인식론은 지식이 획득되는 과정, 지식이 정당화되는 근거, 인식 과정에서의 규범, 인식의 한계 등을 포괄하여 다루기에, 인식 과정을 거쳐 획득되는 산물을 의미하는 ‘지식’이라는 협소한 표현은 ‘epistemology’에 담긴 폭넓은 의미를 제대로 포착하지 못하는 것으로 보입니다.

그리고 ‘episteme’가 한국어의 ‘지식’ 및 영어의 ‘knowledge’에 대응할 때가 있기는 하지만, 그로부터 파생되는 단어가 반드시 지식이라는 뜻만 갖는 것은 아닌 듯합니다. 이를테면 ‘conceivability’와 거의 동의어로 쓰이는 ‘epistemic possibility’에 등장하는 ‘epistemic’이라는 표현은 인식의 산물인 지식보다는 인식이라는 과정 내지 활동 자체에 초점을 맞추는데, 그에 따라 위 표현은 한국어에서도 보통 ‘인식적 가능성’이라고 번역합니다. 이와 마찬가지로 'epistemic objection', 'epistemic concept', 'epistemological distinction' 등의 표현을 '지식적 반론', '지식적 개념', '지식 이론적 구별' 등으로 번역한다면 독해에 혼란을 야기할 것으로 보입니다.

김은정 님의 반론에 대한 응답

말씀하신 대로, 한국어 용례에서 지식에 해당하는 명제적 내용이 어느 정도 무게가 있는 정보로 간주되는 편입니다. 학문적 탐구의 성과로 얻은 정보는 지식으로 간주되지만, 주머니에 손을 넣어 얻은 정보는 지식으로 간주되지 않겠지요. 누군가 주머니에 손을 넣은 뒤 동전 개수에 대한 지식을 확보했다고 말하면, 사람들은 '그게 무슨 지식이냐, 그걸 알아서 뭐 하냐'고 반문할 것입니다. 이 점에서는 김은정 님의 지적이 맞습니다.

그런데 같은 문제는 '인식'에 대해서도 성립합니다. 누군가 주머니에 손을 넣은 뒤 동전 개수가 열 개임을 '인식'하게 되었다고 말한다면, 사람들은 '그게 무슨 인식이냐, 그걸 인식해서 뭐 하냐'고 반문할 것입니다. 말씀하신 비판은 타당하지만 이는 '지식'과 '인식'에 공히 적용됩니다.

이승택 님의 반론에 대한 응답

'지식'과 '인식'의 의미가 일치하지 않는다는 점에 동의합니다. '지식'은 '지식하다' 같은 동사로 쓰일 수 없는 반면 '인식'은 '인식하다'라는 동사로 쓰이며, '인식하다'가 지식 내지 앎으로 환원될 수 없는 넓은 의미의 인식을 포괄한다는 점에서 그렇습니다. 말씀하신 대로 인식론은 지식의 본성 외에도 다양한 과정이나 활동을 논하므로, '인식'이 '지식'보다 적절할 수 있겠습니다. 하지만 '인식'은 그 포괄성이 장점인 만큼 단점이기도 하다는 것이 제 생각입니다. 예컨대 '역사에 대한 인식을 재고할 필요가 있다'라는 문장에 등장한 '인식'은 인식론에서 다루는 '인식'보다는 '가치관'이나 '틀'에 가깝습니다. 이 점에서 저는 '인식'이 인식론의 활동을 포괄한다는 점에서는 '지식'보다 낫지만, 포괄의 범위가 지나치게 넓다고 생각합니다.

'epistemic objection'을 '인식적 반론'이 아니라 '지식적 반론'이라고 옮기는 것이 어색하기는 합니다. 하지만 저에게는 '인식적 반론' 역시 '지식적 반론' 못지않게 이미 어색하기에, 둘 다 어쩔 수 없는 그리고 별 차이 없는 선택지로 느껴집니다.

최종 번역어 제안

- epistemology: 인식론→ 지식 이론(지식론)

12 ‘공리’가 무슨 뜻인지 모르겠어요
: utilitarianism

개념 설명

‘옳음’과 ‘좋음’은 다릅니다. 사전을 찾아보아도 ‘옳음’은 ‘사리에 맞고 바르다’로, ‘좋음’은 ‘대상의 성질이나 내용 따위가 보통 이상의 수준이어서 만족할 만하다’로 정의됩니다. 정의의 내용이 다르니 둘은 별개의 단어로 간주하는 것이 맞겠습니다. 사례를 들어도 그렇습니다. 내가 즐겨 듣는 음악이 좋은 음악이라고 말할 수는 있지만, 옳은 음악이라고 말할 수는 없습니다. 옳은 것과 좋은 것은 별개입니다.

하지만 또 한편 꼭 그렇지만도 않습니다. 곤경에 처한 사람을 구하는 행위를 ‘옳은 행위’ 내지 ‘올바른 행위’라고 말할 수도 있고, 경우에 따라 ‘좋은 행위’라고 말할 수도 있습니다. 옳은 행위를 한 사람을 두고 ‘그 사람은 참 좋은 사람이야'라고 말하기도 하고요. 이 점을 보면 옳음과 좋음이 완전히 별개의 것이 아닌 듯도 합니다.

옳음right과 좋음good의 관계는 윤리학에서 오랫동안 탐구한 주제 중 하나입니다. 크게 두 가지 입장이 있습니다. 첫째 입장은 옳음이 좋음에 우선한다고 말합니다. 내게 좋은 음악이 옳은 음악이 아니듯, 옳은 행위를 하는 것은 이로 인한 결과가 좋은지 여부와 무관하다는 입장입니다. 올바른 동기로 행위를 했으나 결과가 좋지 않은 때가 있습니다. 일례로 물에 빠진 사람에게 응급 처치를 하다가 오히려 해를 끼치는 경우가 있지요. 이때 우리는 구조하려던 사람을 범죄자라고 말하지 않습니다. 좋은 결과를 낳지는 못했지만 행위의 동기나 목적은 올바르기 때문입니다.

둘째 입장은 반대로 좋음이 옳음에 우선한다고 말합니다. 약속을 지키는 것은 올바른 일입니다. 그런데 누군가가 왜 올바른지를 묻는다면, 우리는 공동체에서 다 같이 약속을 지키는 일이 우리 모두에게 좋은 결과를 가져다주기 때문이라고 답할 가능성이 높습니다. 옳음이라는 것은 별달리 특별한 것이 아닙니다. 좋은 것이 옳은 것이며, 좋은 결과를 가져오는 행위가 옳은 행위입니다. 약속을 지키는 것은 물론이고, 형편이 어려운 이를 돕는 것, 거짓말을 하지 않는 것 등이 모두 좋은 결과를 가져오기에 옳은 일이라고 설명할 수 있습니다. 이 장에서 설명할 공리주의utilitarianism가 이 둘째 입장에 해당합니다.

공리주의는 비교적 최근에 등장했습니다. 18세기에 등장했으니 고대나 중세에는 떠올리지 못했던 근대적 사고방식임을 미루어 짐작할 수 있습니다. 고대나 중세와 다른 근대의 특징 중 하나는 신분제가 사라졌다는 것입니다. 예전에는 귀족과 농민이, 양반과 상놈이 질적으로 다른 사람이었습니다. 따라서 마을과 시장을 잇는 다리를 놓는다면, 귀족의 거주지 근처에 놓았을 것입니다. 농민이야 좀 돌아가면 되는 사람들이었으니까요. 그러나 신분제가 사라진 오늘날, 다리는 더 이상 특정인의 거주지 근처에 세워지지 않습니다. 가능한 한 많은 이가 편리하게 사용할 수 있도록 다양한 요소를 고려하여 가장 적합한 장소에 세우겠지요. 이것이 공리주의의 핵심 아이디어입니다. 신분, 지위, 계급과 무관하게 '최대 다수의 최대 행복'을 표방하는 공리주의는 프랑스에서 신분제가 사라진 1789년에 영국에서 혁명적으로 등장했습니다.

1789년 당시에는 공리주의가 상당히 진보적인 효과를 가져왔습니다. 구성원을 질적으로 구별한 후 일부의 안녕만을 고려하는 것이 아니라, 귀족 아닌 사람도 사회의 동등한 구성원으로서 행복의 한 단위로 계산되어야 한다는 주장은 신선했지요. 이후의 비판으로 부정적인 느낌이 덧대어지기는 했지만, 공리주의 사상에 입각하여 고안된 '파놉티콘Panopticon' 같은 원형 감옥도 죄수에게 종전과는 다른 처벌을 가해야 한다는 좋은 의도에서 설계된 것입니다. 사회에 긍정적인 효과를 가져오는 것, 이런 의미에서 유용한useful 것이 바로 옳은 것입니다.

그런 유용성은 누군가에게, 어떤 측면에서 유용할까요? 이 '누군가'의 범위를 최대한 넓게 잡고, '어떤 측면'을 행복으로 잡는 것이 공리주의의 둘째 핵심입니다. '최대 다수의 최대 행복'을 주창하면서, 예전에는 행복의 고려 대상이 되지 못했던 이들을 모두 행복의 한 단위unit로 설정한, 그리하여 누구 하나 빠짐없이 모두에게 최대한의 행복이 달성되어야 한다고 말한 것은 공리주의의 파격적인 발상이었습니다.

그런데 2022년과 1789년이 같을 수는 없겠습니다. 그사이에 벌어진 변화는 공리주의를 보수적인 이론으로 만들었습니다.

첫째, 현대 공리주의의 비판 범위가 상당히 제한되었습니다. '최대 다수의 최대 행복'을 실현하는 데 실질적인 어려움이 있었기 때문입니다. 최대 행복을 실현하려면 이 결정이 어떤 결과를 산출할지를 미리 계산할 수 있어야 하는데, 아직 오지 않은 미래를 예측하기는 어려우니 계산에 소극적일 수밖에 없습니다. 계산에 소극적이라는 말은 결국 결정이나 판단을 계속 미루고 유보한다는 말인데, 이는 공리주의가 개선하고자 했던 과거의 제도나 규범에 공리주의가 적극적으로 개입하는 일 자체가 어려워짐을 의미합니다. 다시 말해, 공리주의자는 무엇이 좋은지, 무엇이 우리를 정말로 행복하게 하는지를 미리 알 수 없으니 입을 닫게 됩니다.

이 점을 인정해버리면 공리주의의 적용 범위는 줄어듭니다. 일례로 '어른을 보면 인사한다' 같은 일상 규범이 있다고 하죠. 이 규범은 몇천 년 동안 유지되었을 것입니다. 이 규범이 최대 다수에게 최대 행복을 가져다줍니까? 잘 모르겠습니다. 그러면 아니라고 확신할 수 있습니까? 그것도 잘 모르겠습니다. 이렇다 보니 공리주의는 '진짜 이건 아니다' 싶은 특정한 문제에만 아주 제한적으로 나설 뿐, 평소에는 문제가 드러나지 않는 기존의 제도나 법률은 최대한 건드리지 않으려는 보수적인 태도를 취합니다. 이에 따라 진보적 추진력을 잃습니다.

둘째, 1789년 당시의 '최대'에 해당하는 사람들과 2022년의 '최대'에 해당하는 사람들은 다릅니다. 현대의 다수는—공리주의가 탄생했던 시대에서 그랬듯 수적으로는 많은데도 신분이 낮아 억압받았다는 의미에서—소수자가 아니라 말 그대로 다수자입니다. 오늘날 '소수자'라는 표현으로 칭해지는 사람들—흑인, 성소수자, 이주자, 토착민, 장애인 등—은 다수가 아니기에 '최대 다수의 최대 행복'을 실현하는 데에서 소외됩니다. 더 나아가 공리주의는 그와 같은 소수자를 최대 행복을 이루는 데 장해로 규정할 수도 있습니다. 소위 '다수의 횡포tyranny of majority'가 벌어지는 것입니다. 이 점에서 현대 공리주의는 중요한 무언가를, 처음에 등장할 때 공리주의가 목표로 삼았던 개혁적 추진력을 잃었습니다.

그렇다고 해서 '최대 다수의 최대 행복'이라는 모토 자체가 말이 안 된다고 보기는 어렵습니다. 공리주의는 '최대 다수의 최대 행복'이라는 모토를 붙잡으면서 애초에 가졌던 진보적이고 개혁적인 추진력을 이 시대에 맞는 방식으로 복원할 필요가 있습니다. 그래야 좋은 것이 곧 옳은 것이라는 취지를 보존하면서도 우리가 옳다고 생각하는 것에 반하지 않는, 정말로 좋은 것을 제시할 수 있습니다.

번역어에 대한 비판과 제안

'공리주의'의 어근에 해당하는 '공리'라는 단어 자체가 현대 한국어 화자에게서 통용되는 표현이 아니라는 데 문제가 있습니다. '공리주의'의 한자어 표기로 '최대 행복'에 방점을 찍을 때는 '功利主義'가 적합하고, '최대 다수'에 방점을 찍을 때는 '公利主義'가 적합하다는 것만 보아도 알 수 있습니다. '功利'과 '公利' 중 무엇을 택하더라도 'utilitarianism'의 모토 중 절반만 번역한 셈이고, 이렇게 번역한 것조차 이해할 수 없는 단어인 '공리'라는 점이 문제입니다.

공리주의가 무엇인지는 '공리주의'라는 한글 표기나 '功利主義'라는 한자 표기보다 'utilitarianism'이라는 영어 표기를 통해 더 쉽게 포착할 수 있습니다. '유틸리티'라는 외래어로 그대로 쓰기도 하는 'utility'는 보통 '유용성'이나 '효용'으로 번역되지요. '무엇이 옳은 것인가? 좋은 것이 옳은 것이다. 무엇이 좋은 것인가? 우리에게 행복을 준다는 의미에서 유용한 것이야말로 좋은 것이다'라는 것이 공리주의의 핵심 논점입니다.

다른 장에서 이미 말씀드렸듯 저는 외국어 개념을 한국어로 번역할 때 해당 개념의 내포마다 새로운 번역어를 계속 만드는 것이 효과적이라고 생각하지 않습니다. 'utility'는 '유용성'이며, 따라서 'utilitarianism'은 '유용주의'로 번역하면 충분합니다. '유용주의'라는 표현이 낯설게 느껴질지 모르지만 적어도 'utilitarianism'이 지향하는 바를 명료하게 보여준다는 점에서 좋은 번역어라고 생각합니다.

저는 이렇게 제안합니다.

- **유용주의utilitarianism는 좋은 결과를 산출하는 것이 곧 옳은 것이라고 주장한다.**

비판과 제안에 대한 반론

김은정의 반론

'공리주의'라는 번역어가 'utilitarianism'의 핵심 테제인 '최대 다수의 최대 행복'을 제대로 표현하지 못한다는 이유에서 적절하지 않다면, 같은 이유에서 '유용주의' 또한 적절한 번역어일 수 없습니다. 일단 '유용주의'는 유용성을 최우선의 가치로 두어야 한다는 주장으로 이해될 텐데, 유용성을 추구하는 것이 반드시 어떤 행위 내지 선택의 결과로서 행복을 추구하는 일은 아닙니다. 유용성 자체는 또 다른 목적 내지 기준에 의거하여 결정되고 그 목적은 행복(내지 쾌락) 이외의 다양한 것일 수 있기 때문입니다. '유용하다'는 말이 행복 같은 추상적 가치보다는 실질적인 쓸모와 관련해서 쓰이는 경우가 더 많다는 점을 고려하면, 'utilitarianism'을 '유용주의'라고 일컫는 일은 오히려 혼동만 키울 여지가 큽니다. 이와 비교해서

'공리주의'는 상대적으로 'utilitarianism'의 핵심 테제에 더 가깝습니다. '행복과 이익을 증진시키는 일'을 뜻하는 '공리功利'라는 말은 'utilitarianism'이 쾌락주의를 곁들인 '결과주의'의 대표적인 이론—의무론과 대비됩니다—이라는 의의를 나타내기에도 부족하지 않은 듯합니다.

이승택의 반론

'유용하다'라는 말은 특정한 목적을 달성하는 데 쓸모나 가치가 있음을 의미하는 것처럼 보입니다. 그렇다면 똑같은 것이라도 목적이 바뀌면 유용성을 잃기나 반대로 얻을 수 있겠습니다. 예를 들어 망치는 못을 박거나 물건을 만드는 목적에서는 유용하지만 저녁 식사를 준비하는 데는 (특별한 경우가 아니라면) 그다지 유용성이 없습니다. 공리주의에서 상정하는 궁극적인 목적은 '최대 다수의 최대 행복'이고, 이 목적에 비추어 우리 행위의 유용성도 결정됩니다. 이 견해에 의하면, 예컨대 현대 의학에 관해 그릇된 신념을 가진 환자를 살리기 위해 의사가 하는 거짓말이 최대 다수의 최대 행복을 산출한다면 유용하고, 이에 따라 도덕적으로 정당화될 것입니다.

그런데 문제는 우리가 방점을 '최대 다수'에 찍을지,

'최대 행복'에 찍을지를 선택해야 하는 경우에 발생합니다. 의사의 거짓말이 많은 사람을 행복하게 할지언정, 거짓말을 하지 않았을 때 가져올 수 있는 행복 총량에는 미치지는 못할 수 있습니다. 이러한 문제로 인해 많은 공리주의자는 'utility'를 수치로 나타내어 수량화하고 계산하여 비교할 수 있는 개념으로 다루고자 합니다. 마치 많은 사회 현상을 계량화하여 통계 수치로 비교, 연구하는 경제학의 방법론처럼 말입니다. 실제로 'utility'가 경제학에서는 '효용'이라는 일종의 전문 용어로 정착되어 '유용성'이라는 일상적인 표현과 사뭇 다르게 사용되는 듯합니다. '효용'은 계량 가능한 대상에 한정해서 적용되는 이론적 개념인 반면, '유용성'은 용법이 느슨하게 허용되는 일상 단어이지요. 따라서 '공리주의'라는 번역어에 문제가 있다면 '유용주의'보다는 오히려 '효용주의'가 'utilitarianism'의 입장을 더 잘 대변하는 번역어일 수 있겠다는 생각이 듭니다.

김은정의 반론에 대한 응답

utilitarianism에서 말하는 'utility'가 쾌락과 행복이라는 상위의 목적에 복무하는데, '유용주의'라는 번역어는 그 상위의 목적을 선명하게 드러내지 못한다는 비판으로 읽었습니다. 그런데 이 비판은 '공리주의'에 대해서도 마찬가지로 적용됩니다. '功'은 '공로'에, '利'는 '이익'에 해당하는데, 여기서의 공로와 이익 역시 무엇에 대한 공로인지, 어떤 측면의 이익인지가 명시되어 있지 않기 때문입니다. 유용성이 무엇에 복무하는지가 선명하지 않은 것은 '유용주의'라는 번역어의 문제가 아니라, 'utilitarianism'이라는 원어가 애초에 갖는 문제입니다.

이승택의 반론에 대한 응답

'utility'의 또 다른 번역어인 '효용'이 경제학에서 쓰이는 전문 용어임은 맞습니다. 따라서 쾌락과 행복을 계량 내지 계산 가능한 것으로 수치화하고자 하는 'utilitarian-ism'을 '효용주의'로 번역하자는 제안에 어느 정도 동의합니다. 그런데 '효용'과 달리 '유용'이 수치화할 수 없는 것이라는 전제에는 동의하지 않습니다. '유용도'라는 표현이 성립한다는 점을 감안하면 수치화를 위해 '효용'이라는—'유용'과 달리 그 의미를 경제학 시간에 따로 배워야 하는—별개의 단어를 쓸 필요는 없다고 생각합니다. 사실 저는 경제학에서 'utility'를 왜 '유용'이 아닌 '효용'이라는 조어로 번역하는지도 잘 모르겠습니다. '한계 효용' 대신 '한계 유용(도)'라고 하면 문제가 생기나요?

최종 번역어 제안

- utilitarianism: 공리주의→ 유용주의

13 철학에도 함수가 나온답니다
: argument

개념 설명

제가 어릴 적에 부모님께 자전거를 사달라고 부탁드린 적이—정확히 말하자면 조른 적이—있습니다. 그때는 자전거를 타고 친구들과 놀러 가는 것이 일종의 유행이었기 때문에 자전거가 꼭 필요했습니다. 부모님께서는 알았다고 말씀하셨고, 저는 얼마간 시간이 흐른 뒤 자전거를 한 대 받았습니다. 그때의 대화를 이와 같이 재구성할 수 있습니다.

> 나: 자전거 한 대만 사주시면 안 될까요?
> 부모님: 자전거가 꼭 필요하니? 돈 아깝지만 알았다.

저는 자전거를 사주겠다는 부모님의 약속을 듣고 의

사소통이 성공리에 이루어졌다고 생각했습니다. 하지만 실상은 그렇지 않았습니다. 제가 '자전거'라는 단어로 의미한 것은 핸들이 일자 형태이고 바구니가 없는 자전거였고, 부모님이 '자전거'라는 단어로 의미한 것은 핸들이 굽혀져 있으며 바구니가 있는 자전거였습니다. 따라서 부모님께서 자전거를 들고 오셨을 때 저는 실망을 금할 수 없었습니다. 낙담한 표정을 감추지 못해 그날 밤 우리 집은 평화를 이룩하지 못했습니다.

왜 이런 일이 발생했을까요? 왜 우리 가족은 이토록 단순한 의사소통에서 실패했을까요? 저와 부모님이 '자전거'라는 단어로 **지시**한 바가 다른 것이 한 이유입니다. 언어철학의 핵심에 해당하는 지시reference 개념을 이제부터 설명해보겠습니다. 여기까지 수차례 등장한 '자전거'라는 단어를 읽으면서 여러분 모두 머릿속에서 어떤 형태의 자전거를 떠올렸을 것입니다. 이렇게 우리 머릿속에 떠오르는 것을 철학에서는 '관념idea'이라고 합니다. '관념'은 중고등학교 문학 시간에 접하는 '심상' 및 '이미지'와 완전히 같습니다.

'자전거'라는 단어를 읽은 우리는 시각적 심상, 즉

시각적 관념을 떠올리게 됩니다. 이를 '자전거는 자전거에 대한 시각적 관념을 지시한다'라고 말할 수 있습니다. 심상이 시각적, 청각적, 촉각적, 미각적, 후각적인 것 다섯 가지가 있듯이, 관념도 최소한 다섯 가지가 있습니다. 우리 머릿속에는 자전거에 대한 관념뿐 아니라 이를테면 매움에 대한 관념이 있습니다. 매움에 대한 관념은 미각을 통해 얻은 것이겠네요. 정의正義에 대한 관념도 있습니다. 정의 같은 추상 개념에 대한 관념이 우리 머릿속에 어떻게 자리 잡게 되었는지에 대해서는 이론의 여지가 있습니다만, 아무튼 우리에게 다양한 종류의 관념이 있는 것은 분명합니다.

다시 자전거 이야기로 돌아가겠습니다. 여러분 머릿속에 떠오른 자전거 관념은 어떻게 생겼나요? 어떤 분은 '자전거'로 MTB를 지시했을 테고, 어떤 분은 스트라이다를 지시했을 것입니다. 이제 무엇이 문제인지가 눈에 보이기 시작합니다. 우리 각자가 '자전거'로 지시한 머릿속 자전거 관념이 모두 넓은 의미의 자전거에 속하기는 하겠지만, 이 관념들 하나하나가 완전히 동일하다고 보기는 어렵습니다. 단어가 관념을 지시하는데, 이렇게 지시된 관념이 사람마다 다르니 문제입니다.

관념은 왜 사람마다 다를까요? 관념이 경험을 통해 왔기 때문입니다. 경험은 주관적 요소가 들어갈 수밖에 없습니다. 예컨대 제 세대가 경험한 형태의 자전거를 자전거1이라고 한다면, 부모님 세대가 경험한 형태의 자전거를 자전거2라고 할 수 있습니다. 이때 '자전거'라는 단어는 제 머릿속에서는 자전거1에 대한 관념을 지시하고, 부모님의 머릿속에서는 자전거2에 대한 관념을 지시하며, 이렇게 지시하는 대상이 다르니 '자전거'의 의미를 공유할 수 없게 됩니다.

언어의 기능은 의사소통에 있으며, 의사소통은 언어 표현에 담긴 의미를 우리가 공유할 때만 성공할 수 있습니다. 따라서 '자전거'라는 단어가 머릿속의 관념을 지시한다는 견해는 의사소통의 가능성을 막는다는 점에서 개선될, 또는 대체될 필요가 있습니다. 20세기 초반에 본격적으로 활발해진 언어철학의 주요 쟁점 중 하나가 이것입니다. 단어의 유의미성과 그 의미의 객관성을 설명할 필요가 있게 된 것이지요. 그러한 시도 중 하나를 간략히 소개하겠습니다. 단어가 머릿속 관념을 지시하여 문제가 발생했으니 이제 머리 밖 무언가를 지시하는 쪽으로 방향을 튼다는 점을 먼저 말씀드립니다.

문장sentence: 김연경은 배구 선수이다.

위 문장은 크게 두 가지 요소로 이루어져 있습니다.

이름name: 김연경

술어predicate: -은 배구 선수이다

이렇게 보면 평서문의 기본 요소는 셋입니다. 주어에 해당하는 이름, 이름의 속성이나 관계를 설명하는 술어, 이름과 술어가 만나 참이거나 거짓인 진릿값을 갖는 문장. 이것들이 의미의 기본 요소입니다. 그리고 이 기본 요소의 의미가 객관적이어야만 이른바 '자전거 사태' 없이 의사소통을 매끄럽게 할 수 있겠습니다. 다시 말씀드리지만, 이 맥락에서 이름, 술어, 문장은 모두 무언가를 지시합니다. 다만 그 지시의 방향이 머리 밖을 향합니다. 머리 밖에 무엇이 있는지 볼까요?

이름은 대상object을 지시한다.

술어는 함수function를 지시한다.

문장은 진릿값truth-value을 지시한다.

이름은 대상을 지시합니다. 예컨대 '소크라테스'라는 이름은 우리가 익히 아는 철학자 소크라테스를 지시합니다. 그렇기에 우리는 '소크라테스가 옷을 빨아 입지 않는다'라는 문장을 들으면 소크라테스와 그의 옷을 쳐다보게 되는 것입니다.

술어는 함수를 지시합니다. '함수'는 한자로 '函數'인데요, 이때 '函'이 '사물함', '보관함'이라고 할 때의 '함', 즉 통입니다. 수학 시간에 배운 것처럼 f(x)=x+2 같은 함수는 통처럼 생긴 수적 규칙에 해당합니다.

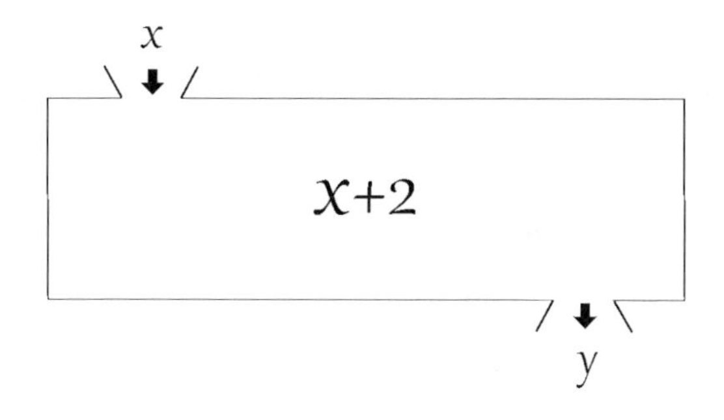

이렇게 생긴 통 안에는 '어떤 수가 들어오면 거기에 2를 더한 뒤 산출한다'라는 규칙이 있습니다. 그래서 2를 넣으면 4가 나오고, 10을 넣으면 12가 나옵니다. '-은 배구 선수이다' 같은 술어도 마찬가지입니다. 투입구에 '김연경'을 넣으면 '김연경은 배구 선수이다'라는 참인 문장이 산출되고, '소크라테스'를 넣으면 '소크라테스는 배구 선수이다'라는 거짓 문장이 산출됩니다.

이때 중요한 것은 함수에는 어떠한 주관적 요소도 없다는 점입니다. f(x)=x+2에서 제가 2를 투입했더니 4가 산출되었습니다. 여러분도 2를 넣어보시겠어요? 마찬가지로 4가 나올 것입니다. 함수는—설명하기는 어렵지만—인간의 활동과 무관하게 그 자체로 존재하기에 '-은 배구 선수이다'라는 술어의 빈자리에 '김연경'이라는 이름을 제가 넣든 여러분이 넣든, 오늘 넣든 내일 넣든, 한국에서 넣든 일본에서 넣든 '김연경은 배구 선수이다'라는 참인 문장이 산출되는 것입니다. 다시 말해, 이렇게 술어의 지시 대상을 함수라는 머리 바깥의 요소로 제안함으로써 우리는 술어의 의미를 고정할 수 있습니다.

이때 x에 해당하는 것을 철학에서는 보통 '논항argument'이라고 합니다. '-은 배구 선수이다'라는 함수에 '김연경'이라는 논항을 대입하면 '김연경은 배구 선수이다'라는 참인 문장이 산출된다고 표현할 수 있습니다. 논항은 변수 내지 변항과 같은 기능을 한다고 보시면 됩니다.

문장은 진릿값을 지시합니다. '김연경은 배구 선수이다'는 참the True을 지시하고, '소크라테스는 배구 선수이다'는 거짓the False을 지시합니다. 이들 문장이 지시하는 참과 거짓은 우리가 '-는 참/거짓이다'라고 말할 때 나오는 형용사 참true과 거짓false이 아니라 참과 거짓이라는 사물thing입니다. 참과 거짓이 사물이라는 것이 무슨 소리인지, 문장이 진릿값을 지시한다는 것은 또 무슨 소리인지 와닿지 않겠지만 일단 여기서는 넘어가겠습니다.

이렇게 문장 및 구성 요소가 머릿속의 관념이 아니라 머리 바깥의 대상, 함수, 진릿값을 지시한다고 말함으로써, 우리는 단어의 의미를—이 단어를 누가 언제 어떻게 사용하든—고정된 것으로 간주할 수 있습니다. '자전거'는 자전거에 대한 관념이 아니라 자전거라는 사물을 지시하고, '-는 배구선수이다'는 수학의 함수와 마찬가지로 그 자체로 존립하는 의미론적 함수를 지시합니다. 이제 의사소통에는 문제가 없어 보입니다.

이 장에서 설명하는 'argument'가 1장에 등장했던 '논변'이 아님을 먼저 말씀드립니다. 기호가 같을 뿐 이 'argument'와 저 'argument'는 다른 단어입니다. 이 장에서 말씀드린 'argument'는 함수를 지시하는 술어에 대입되는 독립 변수입니다. 다시 말해, f(x)=x+2의 x에 해당하고, 'x는 배구 선수이다'의 x에 해당합니다.

술어의 지시 대상을 함수로 간주하는 데서 볼 수 있듯, 지시 관계를 통해 객관적인 의미를 확보하겠다는 아이디어는 상당히 수학적입니다. 따라서 'argument'를 '논항'이라는 별도의 번역어로 번역할 이유가 전혀 없습니다. 'function'을 수학의 용례를 따라 '함수'라고 번역하듯, 'argument' 역시 수학의 용례를 따라 '독립 변수'라고 번역하면 충분하다는 것이 제 생각입니다. '논항' 같은, 의미를 알 수 없는 정체불명의 단어를 쓸 이유가 전혀 없습니다.

만일 수학의 x와 언어철학의 x가 서로 다르니 다른 번역어를 써야 한다고 누군가 고집한다면, 저는 그럼 'function'부터 함수가 아닌 다른 단어로 번역해야 하지 않겠냐고 반문하고 싶습니다.

저는 이렇게 제안합니다.

- **독립 변수argument가 술어의 빈자리에 대입되면서 문장이 산출된다.**

김은정의 반론

제안하신 바에 동의합니다.

이승택의 반론

함수의 빈자리를 채워서 새로운 값을 산출하는 항을 의미하는 'argument'가 'independent variable', 즉 '독립 변수'와 상호 교체 가능한 동의어처럼 쓰이기는 하지만, 다른 학문 분야에서도 'argument'라는 단어 자체에 대응하는 번역어는 따로 상정하는 듯합니다. 이를테면 'argument'가 논리학과 언어학에서는 (철학과 마찬가지로) '논항'으로, 수학과 컴퓨터 과학에서는 '인수'로 번역됩니다. 이는 'argument'에 대비되는 개념이 'dependent variable', 즉 '종속 변수'가 아니라 'value of the function', 즉 '함숫값'이라는 데서 비롯하는 것으로 보입니다. 따라서 철학 텍스트를 번역할 때도 'independent value'와 개념상 구별되는 'argument'에 대한 번역어가 ('논항'은 아닐지라도 최소한) 따로 필요하겠습니다.

그렇다면 함수 개념이 처음 등장한 수학의 번역어를 따라 '인수'로 번역하자는 제안으로 넘어가는 것이 자연스러운 수순이겠습니다. 그러나 이 번역어는 함수에 대입되는 대상이 수數에 한정된다는 그릇된 인상을 주기 때문에 문제가 있습니다. 설명하신 것처럼 수가 아닌 대상, 이를테면 사람이나 사물도 함수의 빈자리를 채워서 참 또는 거짓이라는 진릿값을 산출할 수 있으니 말입니다. 사실 이것은 '독립 변수'라는 표현에서도 문제가 됩니다. 'variable'이라는 영어 단어 어디에도 'number'를 암시하는 뜻이 없지만 '변수'라는 한국어 단어에는 '수'에 대한 암시가 있습니다. 이 때문에 논리학, 철학, 언어학 등에는 'variable'을 '변항'으로 일관되게 번역하는 관행이 있으며, 이를 따르면 'independent variable'도 '독립 변항'이 더 적합한 번역어이겠습니다. 이렇게 '수'가 아니라 '항'이라는 번역어를 도입하는 이유가 명확해지면, 담화(論)의 항목(項)이라는 뜻을 지닌 '논항論項'이라는 번역어의 생경함은 충분히 용인할 만하다고 여겨집니다.

이승택의 반론에 대한 응답

'변수'라는 번역어에 '수'에 대한 암시가 있으므로 '독립 변수'보다는 '독립 변항'이 적합한 번역어라는 반론에 동의합니다. 그러나 'independent variable'을 철학 영역에서는 '독립 변항'이 아니라 '논항'이라는 별도의 번역어로 옮겨야 하는지는 독자의 판단에 맡기고자 합니다. 바로 앞 장에서 'utility'를 경제학에서 굳이 '효용'이라는 조어로 번역할 필요가 있는지 여쭈었던 것처럼, 저는 유사한 기능을 하는 개념이 복수의 분과 학문에서 각기 다른 단어로 번역되는 데 문제가 있다고 생각합니다. 동음이의어가 아닌 하나의 개념을 둘러싼 번역어가 많아지는 것은 이해에 도움을 주기는커녕 일종의 걸림돌로 기능한다는 것이 저의 견해입니다.

최종 번역어 제안

- argument: 논항→ 독립 변항

14 추함이 미적 속성이라니

: aesthetic

개념 설명

우리는 많은 것을 경험하면서 살아갑니다. 여기서 경험은 감각기관을 통한 감각 경험을 가리키는데요, 감각 경험의 사례는 너무 많아 굳이 예를 들 필요조차 없습니다. 여러분이 지금 이 책을 읽는 것 자체가 시각적 경험이며, 다 읽은 뒤 음악을 한 곡 들으면 이는 청각적 경험입니다. 손끝에 느껴지는 종이의 질감은 촉각적 경험의 대상이며, 쉬면서 한 모금 마시는 커피의 맛과 향은 각기 미각적 경험과 후각적 경험의 대상입니다.

시각적 경험의 사례를 하나 들어보겠습니다.

저기 지나가는 버스의 번호는 273번이다.[17]

우리는 버스에 쓰여 있는 '273'이라는 숫자를 보고 "저건 273번 버스야."라고 말합니다. 늘 있는 일이고 여기에는 별다른 문제가 없습니다. 그런데 누군가가 같은 버스를 본 뒤 이렇게 말했다고 가정해보세요.

아니다. 저 버스의 번호는 271번이다.

두 버스의 노선이 상당히 비슷하고 앞의 두 숫자가 같으니 충분히 있을 수 있는 불일치입니다. 다만, 하나의 버스가 273번인 동시에 271번일 수는 없기에 두 사람 중 한 명은 분명히 잘못된 진술을 하고 있습니다. 이것이 감각적 경험의 특징입니다. 감각적 경험은 복수의 진술이 상충할 때 어떤 진술이 참이고 어떤 진술이 거짓인지를 비교적 쉽게 결정할 수 있습니다. 버스가 가까이 왔을 때 번호판을 보면 되거든요.

버스 번호가 아니라 예술작품에 대해 이야기하자면 상황이 단순하지 않습니다. 음악을 추천하는 경우를 떠

17 273번을 타면 서울의 신내동에서 출발하여 이문동과 대학로를 지나 종로와 광화문을 거친 뒤 홍대에 가게 됩니다. 중요한 정보는 아니지만 그냥 말씀드렸습니다.

올리면 되겠습니다. 어떤 음악을 두고 정말 홍겹다고 하면서 A가 친구 B에게 추천하지만, 친구 B는 이게 뭐 홍겹냐고 반문하면서 A에게 "너 이런 거 좋아해?"라고 묻는 상황을 떠올릴 수 있습니다. 이 상황은 논리적인 문제를 가져옵니다.

A: 이 음악은 홍겹다.

B: 이 음악은 홍겹지 않다.

버스 번호가 273번이면서 273번이 아닌 것이 불가능하듯, 어떤 음악이 홍겨우면서 홍겹지 않은 것은 불가능합니다. 하나의 대상이 홍겨움 속성을 가지면서 홍겨움 속성을 가지지 않는다고 말하는 것이니 논리적으로 무리이지요. 하지만 예술작품의 경우 그와 같은 무리가 아무런 무리 없이 비일비재하게 일어납니다. 어떤 그림을 보고 누군가 아름답지 않다고 하면 보통 우리는 그런 감상이나 반응을 받아들이고 말지 그 사람이 엄밀한 의미에서 틀렸다고 생각하지는 않습니다. 하지만 다른 모든 이가 아름답다고 말하는데 누군가 혼자 아름답지 않다고 말한다면 그 사람이 어떤 실질적인 의미에서 틀린 것 같기도 합니다. 이것이 미학의 주요 문제 중 하나인 미적 실재론aesthetic realism 논쟁입니다.

미적 실재론 논쟁에서는 크게 두 진영을 언급할 수 있습니다. 한 진영에서는 A의 진술과 B의 진술이 공히 나름의 방식으로 성립할 수 있다고 주장합니다. 어떤 영화를 보고 누구는 지루해하고 누구는 재미있어하고, 어떤 조각을 보고 누구는 우아하다고 하고 누구는 우아하지 않다고 하고, 어떤 연극을 보면서 누구는 익살맞다고 하고 누구는 익살맞지 않다고 하는 경우를 수도 없이 떠올릴 수 있습니다. 이때 우리는 두 사람 중 한 사람을 무작정 비난하지 않습니다. 그냥 '너에게는 재미가 없었나 보지…' 하고 속으로 생각하면서 내적 거리감을 느낄 따름이지요. 다양한 취향을 존중한다는 점에서 매력적인 선택지입니다.

하지만 이 진영은 앞서 말씀드린 논리적 문제를 피할 길이 없습니다. 복수의 감상자 내지 판단자의 취향을 모두 받아들이면 모순이 발생할 수밖에 없습니다.[18] 그렇기에 이 입장은 예술작품의 속성에 대한 진술을 두고, 이

18 하나의 대상이 어떤 속성을 가지는 동시에 가지지 않는다고 말하는 것을 '모순contradiction'이라고 합니다.

진술이 겉으로는 예술작품에 대한 것처럼 보이지만 실상은 예술작품이 우리에게 불러일으키는 무언가에 대한 진술에 가깝다고 말합니다. '이 연극은 익살맞다'를 '이 연극은 나에게 익살이라는 느낌을 불러일으켰다'라고 써야 정확하다는 것이지요. 예술작품에 대한 경험은 예술작품의 객관적 속성에 대한 경험이 아니라 순전히 주관적인 경험, 말하자면 진짜real 경험이 아니며, 그래서 이를 미적 비실재론aesthetic non-realism이라고 합니다.

미적 비실재론에 문제가 없을 리 없습니다. 같은 예술작품을 두고 두 사람이 다른 판단을 내릴 때, 우리는 복수의 판단을 받아들이면서도, 한 사람이 다른 사람보다 세련된 취향을 가졌다고, 그래서 하나는 옳은right 것이고, 다른 하나는 그른wrong 것이라고 생각합니다. 어떤 사람이 버스터 키턴의 영화를 보면서 "이게 뭐가 재미있죠?"라고 말할 때 또 다른 사람은 속으로 '니가 영화를 뭘 알아?'라고 생각하는데, 바로 이것이 우리 마음속에서 옳은 미적 판단과 그른 미적 판단이 구별되어 있다는 증거입니다. 이를 미적 판단의 규범성normativity 문제라고 합니다.[19]

미적 비실재론은 옳은 판단과 그른 판단을, 시쳇말

로 하면 제대로 된 판단과 허접한 판단을 구별하는 기준을 제시하지 못합니다. 예술작품이 특정한 감정을 불러일으켰다는데 거기에 옳음과 그름이, 온전함과 허접함이 들어갈 자리가 있겠습니까? 하지만 예술작품에 대한 모든 감상이나 비평이 동등한 수준에 있지 않음을 감안하면, 미적 비실재론에는 치명적인 한계가 있어 보입니다.

미적 실재론은 이제까지 설명한 것을 반대로 생각하시면 됩니다. 미적 실재론에 따르면, 예술작품에 대한 경험은 예술작품의 속성에 대한 경험이기에 진짜real 경험입니다. 어떤 연극이 익살맞다고 판단하고, 이 판단이 참이라고 할 때, 그 연극은 정말로 익살맞음 속성을 가집니다. 익살맞음 속성을 가진 연극을 보고 나서 이 연극이 익살맞지 않다고 판단한다면 해당 판단은 거짓이겠고요. 이처럼 미적 실재론은 미적 판단의 규범성 문제를 비교적 간단히 처리할 수 있습니다. 모순을 빚지도 않습니다. 한 사람은 틀린 것일 테니까요.

하지만 미적 실재론에 문제가 없을 리 없습니다. 취

19 '규범'이라는 단어가 등장해서 당황하셨을지 모르겠는데요—규범은 옳고 그름에 대한 것이니—미적 판단에서 옳은 것과 그른 것, 제대로 된 것과 엉터리인 것을 구별할 필요가 있다는 말입니다.

향을 존중하지 않는 것이 문제입니다. 수준 높은 취향 내지 취미가 있는 판단자를 떠올릴 수 있습니다. 그 판단자가 내린 판단과 우리가 내린 판단이 다를 때 우리는 그의 판단을 존중하면서 자신의 판단은 부정해야만 합니다. 그 사람보다 수준 낮은 우리가 예술작품의 속성을 잘못 파악했기 때문입니다. 하지만 정말 그런가요? 미적 판단이 사람의 마음에 특정한 느낌을 불러일으키고 우리에게 특정한 반응을 야기한다는 점을 감안하면, 어떤 연극이 우리 마음에서 익살맞지 않았던 것은 그 자체로 사실 아닌가요? 미적 실재론은 이에 답하지 못합니다.

이제까지의 문제를 이렇게 정리할 수 있습니다. '이 연극은 익살맞다' 같은 미적 판단에 진릿값이 있습니까? 다시 말해 '이 연극은 익살맞다'가 엄밀한 의미의 참이거나 거짓일까요? 만일 '그렇다'라고 답한다면 미적 실재론을 택하신 셈입니다. 이는 미적 판단의 규범성 문제를 해결하지만 복수의 감상이 동시에 존립하지 못하게 합니다. 반대로 '그렇지 않다'라고 답한다면 미적 비실재론을 택하신 셈입니다. 이는 복수의 감상이 동시에 존립하게 하지만, 논리적 문제를 피하고자 미적 판단에 참과 거짓이 있음을 부정하게 됩니다.

번역어에 대한 비판과 제안

'aesthetic'이라는 형용사는 다양한 명사를 수식합니다. '미적 속성aesthetic property'은 속성 중에서 미적인 것, 즉 아름다움이나 예술과 관련하는 속성입니다. 아름다움, 추함, 우아함, 숭고함, 조잡함, 익살맞음, 균형, 섬세, 조화, 통일, 생동, 요란, 불안, 슬픔, 고요, 상쾌, 화려 등을 들 수 있습니다. '미적 판단aesthetic judgment'은 한 대상을 두고 그 대상의 미적 속성을 판정하는 활동입니다. '미적 경험aesthetic experience'은 미적인 표상적 내용aesthetic representational content이 주어지는 경험입니다. '미적 쾌aesthetic pleasure'는 미적 경험을 통해 얻어지는 감각적 즐거움입니다.

그런데 'aesthetic'의 한국어 번역어인 '미적'은—한자어가 '美的'임을 감안할 때—이 표현 아래에 속하는 다양한 단어를 포괄하지 못합니다. 예컨대 'aesthetic property' 아래에는 아름다움뿐 아니라 추함이나 조잡함도 들어가는데, 'aesthetic property'를 '미적 속성'으로 번역하면 아름다움이 추함의 상의어가 되어버립니다.

'미학aesthetics' 같은 학문 분과의 이름 역시 마찬가지입니다. ‘aesthetics’에서는 아름다움뿐 아니라 다양한 속성을 연구하고, 예술작품을 둘러싼 쟁점을 탐구하며, 감각 및 감성을 논의합니다. 이 점을 감안할 때 ‘aesthetic’을 ‘아름다움’보다 더 포괄적인 단어로 번역할 필요가 있음이 명백해집니다.

하지만 딱히 적절한 번역어가 떠오르지는 않습니다. 다만 ‘aesthetic’의 그리스어 어원인 ‘aesthetica’가 ‘감각적’ 내지 ‘감성적’을 뜻하고, 이렇게 감각적인 것을 철학의 대상으로 삼고자 했던 바움가르텐이 해당 학문 분과를 ‘aesthetics’라고 명명했던 것을 생각하면, 한자어 ‘감感’이 번역어의 일부로 채택될 필요가 있다고 봅니다. 그렇다고 ‘aesthetics’를 ‘감성학’이라고 번역하면 바움가르텐 이후 ‘aesthetics’가 다루게 된 예술작품 같은 대상을 포착하지 못하게 됩니다. 그래서 저는 종전의 번역어와 ‘感’을 결합하며 ‘aesthetic’를 ‘미감적’으로, ‘aesthetics’를 ‘미감학’으로 번역했으면 합니다.

저는 이렇게 제안합니다.

• **미감적 실재론**aesthetic realism **논쟁은 미감적 판단이 진릿값을 가지는지와 연관한다.**

비판과 제안에 대한 반론

김은정

제안하신 바에 동의합니다.

이승택

제안하신 바에 동의합니다.

최종 번역어 제안

- aesthetic: 미적→미감적
- aesthetics: 미학→미감학

'현대 한국어로 철학하기'의 구체적인 사례들로 본문을 구성했습니다. 철학 개념 및 이 개념을 둘러싼 설명을 제시했으며, 이 설명을 기반으로 기존의 번역어에 대한 비판과 제안을 해두었습니다. 공동 저자인 김은정, 이승택 님의 비판에 대해서도 응답했는데, 제가 제안한 바가 모두 적절하지는 않더라도 적어도 몇 개는 독자 여러분에게 설득력이 있었기를 기대합니다. 마치는 글에서는 현대 한국어로 철학하는 일과 관련한 몇 가지 일반론적 제안을 해두고자 합니다.

첫째로, 한자어와 외래어가 한국어의 일부임을 받아들일 필요가 있습니다. 우리말 내지 한국어로 철학하자는 제안이, 한자어와 외래어 없이 고유어만을 쓰자는 제안과 동일시되는 경향이 있습니다. '형상'을 '꼴'로 바꾸자는 것이 그러한 제안의 사례이겠습니다. 하지만 한국어는 고유어, 한자어, 외래어로 구성되어 있습니다. 심지어 '팀장님team長님'이나 '헬기helicopter機' 같은 단어도 한국어에 속합니다.

둘째로, 고유어가 개념으로 성립 가능했으면 합니다. 헤겔 『논리의 학』 서두에는 'being, nothing, becoming'이라는 절이 있습니다. 보통 '존재, 무, 생성'이라고 번역하고, '유, 무, 성'이 대안으로 제시되기도 했습니다. 헤겔 철학의 이 대목에서 'becoming'은 '도토리가 도토리나무가 되다becomes'에서처럼 '되다'로 쓰입니다. 'being'이 'nothing'이 되고, 'nothing'이 'being'이 되는 운동이 이 대목의 핵심입니다. 저는 '될 성成'이라는 한자어보다는 '되다' 내지 '됨'을 개념어로 썼으면 합니다. 한자어가 아닌 고유어가 철학 개념으로 성립되는 데 문제가 있다고 생각하지 않습니다. 이렇게 되면 'be'와 'ought'의 구별도 '-이다'와 '-이어야 한다'의 구별로 명쾌하게 번역됩니다.

셋째로, 외국어 구문을 받아들이자고 제안합니다. '-에 의해'가 들어가는 수동태 표현은 영어식 표현이니 자제해야 한다고, '-에 다름 아니다' 같은 표현은 일본어식 표현이니 지양해야 한다고 하는 견해가 있습니다. 저는 영어식 표현과 일본어식 표현이 왜 한국어의 일부가 될 수 없는지 모르겠습니다. 오히려 그에 대한 수용은 한국어의 구문을 더욱 풍성하게 만들 것입니다. 하나의 명제를 세 가지 구문으로 구성할 수 있다니 생각만 해도 가슴이 뛥니다.

넷째로, 본문에서도 말씀드렸습니다만 외국어로 된 철학 개념을 번역할 때마다 의미에 대응하는 새로운 번역어를 만들지 말고, 번역어를 고정한 뒤 내포를 추가했으면 합니다. 'transcendental'은 '초월적' 내지 '초월론적'으로 고정하고, '초월적'의 뜻을 하나씩 추가하자는 말입니다. 이렇게 정리된 것은 철학 사전에서 정리해두면 될 것입니다. 이 제안을 받아들이면 '존재', '현존', '실존' 등으로 다양하게 번역되는 'existence'의 번역어도 통일할 수 있을 것입니다.

다섯째로, 전공자를 대상으로 하는 한국어 훈련이 요구됩니다. 어떤 논문은 내용은 정말 훌륭하지만, 읽다 보면 마음속에서 교정과 교열을 하는 제 모습을 발견합니다. 고된 번역 작업을 꾸준히 하시는 연구자의 모습에 박수와 응원을 보내면서도 '번역자가 자신의 원고에 대한 피드백을 단 한 번이라도 받아 보았을까?'라는 의구심이 들 때도 있습니다. 대학원에 학술 연구자를 위한 논문 집필이나 번역 작업 등에 대한 교육과정을 두면 어떨까 싶습니다. 단행본 출판 시 지은이와 번역자가 편집자의 견해를 경청하는 것도 대단히 중요한 일이겠습니다.

여섯째로, 출판사는 지나친 오역에 책임을 져야 합니다. 오역 없는 번역이나 대안 없는 번역은 없는 것 같습니다. 하지만 정도가 있게 마련입니다. 한 쪽에서 오역과 비문을 몇 개씩 찾아낼 수 있는 학술 번역서가 적지 않습니다. 출판사는 이러한 경우가 발생할 시 책임감 있는 모습을 보여 다른 번역자를 구해 원고를 수정할 필요가 있습니다. 10쇄 이상 팔리는 학술서의 저작권을 구매했으면 수익 이상의 책임감을 보여야 합니다. 잘못된 번역 원고와 그 유통은 수많은 독자에게 철학의 추상성을 모호함으로 오해하게 하는 결과를 가져옵니다.

책을 내자고 제안해주신 메멘토 출판사의 박숙희 대표께 감사드립니다. 저의 원고를 다듬고 비판과 반론을 작성해주신 김은정, 이승택 님에게도 고마움을 표합니다. 제 삶에서 가장 중요한 사건 중 하나가 두 분을 만난 것입니다. 지난 시간이 그랬듯 앞으로도 꾸준히 함께 공부하고 작업할 수 있기를 희망합니다. 마지막으로 이 책을 읽어주신 독자께 감사드립니다. 동시대의 현대 한국어를 공유하면서 철학을 공부하는 여러분에게 조금이라도 도움이 되었기를 바랍니다. 여러분의 철학 공부가 궁극적으로는 고전 읽기가 아니라 논문 읽기로 나아갔으면 하는 바람을 전하기도 합니다.

divide / distinguish / classify

한국어 논문을 읽다 보면, '구별'이라는 단어가 활용된 경우를 찾기가 매우 힘듭니다. '구별'을 써야 할 때에도 '구분'을 쓰기 때문입니다. 그러나 '구분', '구별', '분류'는 의미가 다른 단어들이며, 따라서 날카롭게 구별되어 사용되어야 합니다.

'구분'은 한 대상을 하위 항목으로 쪼개는 것이고, '구별'은 동등한 층위에 있는 복수의 항을 기준을 들어 가르는 것이며, '분류'는 복수의 항을 공통점을 기준으로 묶는 것입니다. 예컨대 우리는 철학을 논리학, 이론 철학, 실천 철학으로 구분하고, 사과와 배를 구별하며, 설문조사의 대상인 1만 명의 표본을 응답에 따라 분류합니다.

challenge

'challenge'는 '도전'으로 번역되는 때가 잦습니다. 이를테면 어떤 연구자가 다른 연구자의 주장에 반대하면서 그에 'challenge', 즉 '도전'한다고 번역되는 편이지요. 하지만 'challenge'의 느낌은 '도전'보다 훨씬 포괄적입니다. 축구에서 태클을 걸어 공을 뺏는 것도, 다른 사람의 주장에 이의를 제기하는 것도, 어떤 진술을 의심하는 것도, 누가 내놓은 증거를 거부하는 것도 모두 'challenge'에 속합니다.

'challenge'의 다양한 의미에는 다른 사람이 나아가는 방향을 차단한다는 공통점이 있으며, 철학 텍스트에서는 '도전'이 아니라 '이의 제기'나 '과제'로 번역하면 자연스러울 때가 많습니다.

characterize

'characteristic'이 '특징' 내지 '특질'이기에 'characterize'를 '특징 짓다'로 번역하는 경우가 있기는 합니다. 하지만 철학 텍스트에서 'characterize'는 '기술하다', '서술하다', '묘사하다'로 쓰일 때가 훨씬 많습니다. 많은 경우 'describe'의 동의어로 쓰입니다.

in question

'in question'은 'question'이 '문제' 내지 '물음'인 까닭에 'A in question'의 형태로 쓰이면서 '문제의 A'로 번역되곤 합니다. 하지만 '문제'의 느낌을 살려서는 안 됩니다. '지금 이야기하는 중인 A'나 '지금 논의의 대상인 A' 정도로 읽고 번역해야 합니다.

of

'of'를 무조건 '-의'로 번역하면 도착 언어인 한국어에서는 지옥이 펼쳐집니다. 「들어가며」에서 예로 들었던 '의식의 경험의 학' 같은 성립 불가능한 표현을 만들어내기도 합니다. 'of'에는 '-의' 외에도, '-이라는', '-에 관한', '-로 이루어진', '-라는 속성을 가진' 등의 의미가 있으며, 이 모두가 빈번히 쓰입니다. 필히 하나씩 구별하여 써야 합니다.

feminist

'feminist'는 '페미니스트'에 해당하는 사람을 의미할 때도 있지만, '페미니즘적'이나 '페미니즘의' 같은 형용사로 쓰이기도 합니다. 'feminist ethics'는 '페미니스트 윤리학'이 아니라 '페미니즘 윤리학'입니다.

a, b, and c

영어에서는 복수의 항을 열거하다가 마지막 항의 앞에 'and'를 넣습니다. 이것은 마지막 항을 강조하기 위한 것이 아니므로 대부분 굳이 번역할 이유가 없습니다. 따라서 'a, b, and c'는 'a, b, 그리고 c'가 아니라 그냥 'a, b, c'입니다.

indexically

부사를 번역할 때는 번역자가 개입할 필요가 있습니다. 'index'가 철학에서 '지표사'이니 'indexically'는 '지표사적으로'일 텐데, 이 번역어를 이해할 수 있는 사람은 없습니다. '지표사를 활용하여 말하자면' 정도로 번역하면 매끄럽습니다. 'indexically' 외에도 특히 문장 전체를 수식하는 부사를 번역할 때에는 번역자가 문맥에 맞는 동사를 삽입해야 합니다.

-적

'형용사+명사' 형태의 영어 표현을 번역할 때에는 '-적'

이라는 표현을 자주 쓰게 됩니다. 예컨대 'propositional attitude'는 '명제적 태도'이고, 'cognitive impression'은 '인식적 인상'입니다. 그런데 '명제적 태도'는 '명제에 대한 태도'이고, '인식적 인상'은 '인식을 가능하게 하는 인상'이라는 점에서 문제가 발생합니다. 다시 말해, 형용사와 명사가 맺는 구체적인 관계가 표현마다 다릅니다.

두 가지 선택지가 있습니다. 한편, 'propositional attitude'를 '명제적 태도' 내지 '명제 태도'라고 번역하면 표현 자체는 깔끔하지만 이 표현만으로는 의미를 포착할 수 없습니다. 다른 한편, 'propositional attitude'를 '명제에 대한 태도'라고 번역하면 이 표현만으로 의미를 포착할 수 있지만 표현 자체는 깔끔하지 못합니다. 어떤 선택지가 매력적으로 느껴지나요? 저는 후자입니다.

being

영어로도 'being'은 의미가 애매합니다. 즉, 'being'이 'being'이라고 불리는 무언가에 대한 이름인지, '있음'이라는 속성에 대한 표현인지, '있는 것'들을 두루 일컫는 단어인지가 분명하지 않습니다. 'being'을 처음 한국어로 번역할 때 이 문제가 충분히 숙고되지 않은 것 같습니다. 그래서 아리스토텔레스가 형이상학을 일러 내놓은 'a study of being qua being'이 '있음으로서의 있음〔존재로서의 존재〕에 대한 연구'인지, '있는 것으로서의 있는 것〔존재자로서의 존재자〕에 대한 연구'인지, '있음으로서의 있는 것〔존재로서의 존재자〕에 대한 연구'인지, '있는 것으로서의 있음〔존재자로서의 존재〕에 대한 연구'인지 헷갈립니다. 이런 일을 피하려면 '있음'과 '있는 것'을, '존재'와 '존재자'를 선명하게 구별해서 써야 합니다.

as

'as'를 '-로서'로 번역하는 데 문제가 있지는 않습니다. 그런데 'as' 이하의 표현이 때로는 관형어로, 때로는 부사어로 기능한다는 데 유념해야 합니다. 한국어 '-로서'를 잡아 예제를 들자면, '연구자로서의 윤리적 태도'에서 '연구자로서의'는 '윤리적 태도'라는 명사구를 수식하는 관형어이고, '그는 연구자로서 활동한다'에서 '연구자로서'는 '활동한다'라는 동사를 수식하는 부사어입니다. 여기까지는 문제가 없습니다만, 많은 수의 한국어 철학 논문의 제목이 이 구별을 간과합니다. '헤겔 철학에서 감정의 역할' 같은 식의 제목이 굉장히 많지요. '헤겔 철학에서'는 부사구이므로 뒤에 '본' 같은 동사를 넣어야 합니다. 동사를 넣는 것이 꺼려진다면 '-의'의 반복을 무릅쓰고, '헤겔 철학에서의 감정의 역할'로 쓰면 되겠습니다. 물론 '헤겔 철학에서 본 감정의 역할'이나 '헤겔 철학에서 감정이 맡은 역할'이면 더 좋겠습니다.

메멘토문고 · 나의독법 02

현대 한국어로 철학하기

철학의 개념과 번역어를 살피다

초판 1쇄 발행 2022년 2월 7일
초판 3쇄 발행 2023년 4월 20일

지은이 신우승 김은정 이승택
교정 박기효
디자인 위드텍스트 이지선

펴낸이 박숙희
펴낸곳 메멘토
신고 2012년 2월 8일 제25100-2012-32호
주소 서울시 은평구 연서로26길 9-3(대조동) 동양오피스텔 301호
전화 070-8256-1543 팩스 0505-330-1543
전자우편 mementopub@gmail.com

ISBN 978-89-98614-91-1 (세트)
ISBN 979-11-92099-00-2 (04100)